新 潮 文 庫

古事記の禁忌《タブー》 天皇の正体

関 裕 二著

新 潮 社 版

9601

はじめに

古代史は、謎《なぞ》に満ちている。最大の謎は「天皇」の正体である。

天皇は権力者だったのか、祭司王《さいしおう》だったのか、王朝交替はあったのかなかったのか。

天皇に手をかけると恐ろしい目に遭うと信じられていたのはなぜか……。

どれもこれも、答えは見つかっていない。わかってはいないが、日本人がいつかは解き明かさなければならぬ謎である。

解けぬ謎はない。それでも解けないのは、われわれが先入観に縛られ、見る目が曇っているからではあるまいか。

ヒントはいくつも残されていると思う。たとえば、『古事記《こじき》』はどうだろう。

『古事記』は「神典」だと、多くの人は言う。

神道《しんとう》の根本や天皇の正統性と正当性は『古事記』神話に語られ、日本人の三つ子の魂は、『古事記』の世界に表現されている……。これが、これまでの『古事記』に対する評価だった。

では、古代から『古事記』が尊重されていたのかといえば、そのようなことはない。

今でこそ誰もが知る『古事記』だが、実際には江戸時代まで埋もれた文書だった。国学者・本居宣長が「再評価」したことによって、注目を集めるようになった。『日本書紀』は漢意（中国的発想）に満ちていて『古事記』は大和心（日本的発想）に貫かれていると本居宣長は言い、『日本書紀』を否定し、『古事記』を神聖視したのだった。以後、『古事記』は「神典」となって、尊ばれるようになった。

明治政府も、『古事記』を大いに顕彰し、天皇を担ぎ上げる正当性を、『古事記』の神話を利用して示した。

戦後の史学界、文学界も、「皇国史観」は否定しつつも、「牧歌的な『古事記』」なら、愛してやまなかった。日本人の原点を探っていけば、『古事記』の物語世界に行き着くと、称賛しつづけてきた。だからこそ、『古事記』は混迷の時代に求められ、ちょっとしたブームになっているのだ。

しかし、『古事記』は、矛盾に満ちた文書でもある。これまでの常識に縛られず素直に見つめ直せば、誰もが、「なにかがおかしい」と、気付くだろう。

たとえば、『古事記』序文には、天武天皇が編纂を発案したとある。これは、『日本書紀』によく似ている。そして、編纂されたのは、『日本書紀』と八年の差しかない。ふたつの文書は、よく似た環境で記された双子の歴史書ということになる。

ところが、両者は相容《あいい》れぬ主張をする。『日本書紀』は親百済《くだら》を、『古事記』は親新羅《しらぎ》を標榜《ひょうぼう》するからだ。この時代の「百済をとるか新羅をとるか」は、政権を揺るがす大問題だった。同じ政権内で異なる外交方針を打ち出しているのは、不自然きわまりない。八世紀以降の政権は、極端な反新羅政策を採ったから、『古事記』の居場所はなかったはずなのだ。

この一点だけでも『古事記』は十分疑わしい文書なのだ。存在自体が、胡散臭《うさんくさ》いのである。

それだけではない。『古事記』は歴史記述を途中でやめてしまっている。常識では考えられない事態である。

『古事記』序文に続いて、神話が語られ、初代神武《じんむ》天皇の東征以後、歴代天皇の事蹟《じせき》が語られていく。そして最後の天皇が、七世紀前半の第三十三代推古《すいこ》女帝であった。ところが、『古事記』編者は、五世紀末の第二十三代顕宗《けんぞう》天皇の時代で、歴史の記述をやめてしまったのだ。このあと続くのは、事務的な「王家の戸籍謄本《とうほん》」のような内容に過ぎない。后妃《こうひ》や子供たちの名、宮が置かれた場所などの情報が、無機質に並べられているだけだ。『古事記』特有の、「息づかいを感じさせるような物語」は、途中で幕を下ろしたのである。

顕宗天皇には、同母兄がいた。顕宗崩御《ほうぎょ》（天皇が亡《な》くなられることを崩御という）ののち即位した仁賢《にんけん》天皇だ。ところが『古事記』は、顕宗天皇の生涯を詳しく追っていたのに、仁賢天皇の事蹟を、空白にしてしまった。弟と兄の間に、大きな壁を築いてしまったことになる。

なぜ、顕宗天皇が「ストーリーテラー」のアンカーに選ばれたのだろう。顕宗天皇といっても、よほどの茶人か暇人でない限り、どのような偉人なのか、見当はつくまい。

もちろん、古代史の学者なら、彼の事蹟を説明できるだろう。けれども、「なぜこの天皇が最後だったのか」という問いかけに、どこまで答えてくれるだろう。顕宗天皇から『古事記』編纂との間に二百年以上の開きがある。この間、権力闘争は激しさを増し、政局は流転《るてん》した。人々は恨み合い、政敵を罵《ののし》り、呪《のろ》ったであろう。積もりに積もった怨嗟《えんさ》の声や勝利の雄叫《おたけ》びを、なぜ『古事記』は無視したのだろう。なぜ、途中で筆を擱《お》くことができたのだろう。じつに不可解だ。

歴史書とは、歴史の勝者が、直近までくり広げられた闘争を勝ち抜いたこと、正当性を歌い上げるために記すものではなかろうか。とすれば、この二百年の空白は、いったい何を意味しているのだろう。

『古事記』は、「古い事を記した」のだから、これでよいのだろうか。そうではあるまい、「大昔の事をわざわざ記録しておかなければならない理由」があったはずなのである。

あるいは、顕宗天皇は「歴史の締めくくりにふさわしい人物」だったのだろうか。だが、『古事記』の記事からは、歴史の節目を感じることはできない。

疑い出せば、きりがない。『古事記』編者の態度は、やはり納得しがたい。

こののち、記録すべき事件は山のようにあったはずだ。

仁賢天皇の子は武烈《ぶれつ》天皇で、『日本書紀』によれば、酒池《しゅち》肉林《にくりん》をくり広げ、王家存亡の危機を招いたという。そして、武烈天皇亡き後、皇統が絶え、越《こし》（北陸）から応《おう》神《じん》天皇五世の孫・継体《けいたい》天皇がヤマトに連れて来られるのだ。

通説は、継体天皇の出現を「王朝交替ではないか」と疑っている。なぜ『古事記』は、このような大事件を無視し、その直前、しかも、弟から兄に皇位が移った瞬間に、歴史記述をやめてしまったのだろう。

激動の時代がすぐそこまでやってきていたのに、なぜ『古事記』は、「詳しい話はここまで」と、横着をしたのだろう。ここに、何かしらの理由、何かしらの意図があったはずだ。明らかに、恣意《しい》的な終わり方ではないか。

その『古事記』の目論《もくろ》みを探らねば、古代史の謎も解けないのではあるまいか。そしてこれまで、誰も「不思議でたまらない」と首をかしげることもなかったが、これは、古代史の「盲点」ではあるまいか。

筆者は『古事記』の不可解な編纂姿勢をすなおに「不自然だ」と考え、この「不自然さは故意」で、後世に残されたメッセージであり、「暗号」ではないかと思い始めたのである。

こうして、謎解きは始まった。そして導き出された答えは、意外なものであった……。

顕宗天皇と兄の仁賢天皇は、雄略《ゆうりやく》天皇のクーデターで父を殺され、播磨《はりま》に逃れ、零落していたのだ。ところが偶然発見され、ヤマトに連れ戻され、即位した。兄弟は波《は》瀾万丈《らんばんじよう》の生涯を送った。問題は、播磨で兄弟を匿《かくま》った人々だ。彼らは王家の恩人であるにもかかわらず冷遇されたため、歴史書編纂に大いにかかわり、「今の王家を救ったのはわれわれなのだ」「それをお忘れではあるまいか」と、恨みを込めて後世に残したのだ。この「恨みのこもった文書」こそ、『古事記』だったのである。

問題は、このような『古事記』の謎解きを進める過程で、天皇家をめぐる新たな事実が浮かびあがってきたことである。『古事記』は、「天皇とはいったい何者なのか」

その答えを導き出すための貴重なヒントを握っていたのである。

なぜ『古事記』は、歴史記述を途中で放棄したのか、そこに隠された秘密とは何か。

そして、天皇の正体とは……。

「『古事記』の歴史記述の中断」という不可解な現象から瓢簞《ひょうたん》から駒《こま》のような形で、天皇の正体にまつわる新たな発見があったのだ。その『古事記』論と「天皇論」を、披露しようと思う。

目次

怪しいのは『古事記』序文／なぜ史学界は『古事記』偽書説を笑殺するのか／従来の『古事記』研究には根本的な誤りがあった？／『古事記』と特殊仮名遣い／『古事記』をめぐる単純な謎／針間国（播磨国）に落ち延びた意祁王・袁祁王／たまたま発見された意祁王・袁祁王／顕宗天皇の復讐と溜飲／仁賢天皇の時代にも事件は起きていた／なぜ『古事記』は継体天皇を描かなかったのか／『古事記』最大のテーマは顕宗天皇と仁賢天皇／播磨とつながっていた新羅／秦氏が『古事記』編纂にかかわっていた証拠／秦河勝も播磨に逃げていた／意祁王・袁祁王を救ったのは秦氏だった？

第三章　天皇と鬼

『古事記』は天皇家に悪意を抱いている？／秦河勝は祟っていた？／鬼が鬼であることを利用した／秦河勝が大生部多を懲らしめた意味／秦河勝の常世の神殺し／秦氏

写真撮影　梅澤恵美子・関 裕二

古事記の禁忌《タブー》　天皇の正体

第一章　『古事記』の謎《なぞ》

なぜ記紀《きき》神話の神々は不人気なのか

記紀神話の世界には、日本人が素直な心根を持っていた太古の記憶が残されているという。特に、『古事記』の神話は大和心《やまとごころ》で彩《いろど》られているから、「神典」と呼ばれるようになった。『古事記』を称賛する発想は、今日に至ってもやんでいない。

しかし、日本人の三つ子の魂は、本当に、『古事記』と通じているのだろうか。

たとえば、神社の数で言えば、「神話の神々」の不人気ぶりは目にあまる。神話の神々を祀《まつ》った神社は、意外に少ないのだ。

神社の代表と言えば、天照大神《あまてらすおおみかみ》を祀る三重県の伊勢《いせ》内宮《ないくう》だ。また島根県の出雲《いずも》大社は、大国主神《おおくにぬしのかみ》を祀り、どちらも神話の神を祀っている。その他、一の宮や二の宮といった地域を代表する神社で祀られるのは、たいがいの場合、神話の神々だ。だから気付かないのだが、小さな祠《ほこら》をふくめれば、趨勢《すうせい》は逆転する。神話に登場しない神々に、人気が集まっているのだ。国家が建てた神社には記紀神話の神々が祀られるが、一般庶民が祀っていたのは、記紀神話に登場しない神だったのである。

たとえば、稲荷《いなり》社と八幡《はちまん》社のふたつだけで、全国の神社の過半数を超えてしまうが、もともとこれらは渡来系豪族・秦《はた》氏が祀っていた神々なのである。

伏見《ふしみ》稲荷《いなり》大社の祭神は五柱で、宇迦之御魂大神《うかのみたまのおおかみ》を筆頭に、佐田彦大神《さたひこのおおみかみ》、大宮能売大神《おおみやのめのおおかみ》、田中大神《たなかのおおかみ》、四大神《しのおおかみ》と続く。これらをまとめて、稲荷大神と呼んでいる。神話に登場する神も祀られているが、これは後世の付会であって、事実、伏見稲荷大社の伝承の中で、神話につながるような話は皆無だ。

八幡神をめぐる縁起（『宇佐託宣集《うさたくせんしゅう》』）には、次の有名な一節がある。八幡神が日本の神になった経緯である。


辛国《からくに》の城《き》に始めて八流《やつながれ》の幡《はた》を天降《あまくだ》して、吾《われ》は日本の神となれり

ここに現れる「辛国の城」がどこを指しているのか、定かではない。ただ、「辛国」の「辛」は「韓」なのだから、八幡神が朝鮮半島と深く結びついた神であったことははっきりとしている。「幡＝旗」を立てる習俗も、朝鮮半島から伝わったと考えられる。八幡神は第十五代応神《おうじん》天皇と習合していくが、記紀神話とは、一切かかわりがない。

伏見稲荷大社の祭神も、秦氏独自の神と思われる。

稲荷神社の総本社・伏見稲荷大社（京都市伏見区）

『山城国風土記《やましろのくにのふどき》』逸文《いつぶん》には、伏見稲荷大社の成り立ちを、次のように説明する。すなわち、伊侶巨《いろこ》（伊侶具《いろぐ》）の秦公《はたのきみ》は、稲や粟《あわ》を積み、富を蓄え裕福だった。おごった伊侶巨は、餅《もち》を的にして射かけた。すると餅は白い鳥になって飛び去り、山（稲荷山）の峰に下りた。白い鳥は稲になって稔《みの》った。そこで、ここに神社を建て「稲荷」を名にしたという。やはり、この縁起と記紀神話に接点はない。

ところで、古代の秦氏は北部九州の豊国《とよのくに》（豊後《ぶんご》、豊前《ぶぜん》）に集住していたため、この一帯を中国の文書が「秦王《しんおう》国《こく》」と呼んでいる。そして『豊後国風《ぶんごのくにのふ》土記《どき》』に、『山城国風土記』とそっくりな白鳥と餅と豊穣《ほうじょう》にまつわる話が複数載っている。伏見稲荷大社の創祀《そうし》にまつわる白鳥の説話は、秦氏と大いにかかわりがあったとみられる。

この稲荷社、あまりに増えすぎたのか、江戸時代には、次のような川柳《せんりゅう》になっている。

町内に　伊勢屋　稲荷に　犬の糞《くそ》

「い」の字を頭に揃《そろ》えたしゃれで、町内にあふれかえっているものを集めている。たしかに、現代でも路地裏やビルの屋上など、いたる所に稲荷の祠は祀られ、総数は三万以上にのぼると言われている。

なぜ庶民は、「神典」に描かれた神々ではなく、渡来系の稲荷神や八幡神を受け入れていったのだろう。

税を搾取《さくしゅ》する悪代官になった神々

なぜ、渡来系豪族が祀る神社に人気が集まるのだろう。なぜ、『古事記』神話に登場する神々を祀る神社を、数の上で圧倒してしまったのか。本当に『古事記』の神々は、われわれ日本人の心の故郷《ふるさと》だったのだろうか。

これには、深い理由が隠されていたようだ。

まず、ここで注意しておかなければならないのは、神話の神々が、「政治利用されていた」という事実である。

『日本書紀』の編纂は西暦七二〇年で、『古事記』序文に従えば、『古事記』の編纂はそれよりも八年前。この時、日本は大きな転換期を迎えていた。律令制度《りつりょうせいど》が整い、新たな体制がスタートしていたのだ。これが、大宝律令《たいほうりつりょう》(七〇一)である。

律令とは、「律＝刑法」と「令＝行政法」で、明文法による統治システムであり、土地制度改革でもあった。それまで認められていた土地と民の私有が原則禁じられ、土地は一度国家(天皇)の元に集められ、戸籍を造り、民ひとりひとりに農地が与えられ、その見返りに、税を集めたのだった。

いわば、原始的な共産制なのだが、ここに神が介在した。

日本の律令体制は隋《ずい》や唐《とう》から学び取ったが、いくつかの点で、独自のシステムを採用した。その中のひとつが、太政官《だいじょうかん》と神祇官《じんぎかん》が一本柱になって並立するという体制(二《に》官八省《かんはっしょう》体制)であった。

ちなみに、権力の独占を目指す藤原《ふじわら》氏は、太政官を牛耳《ぎゅうじ》るだけでなく、同族の中臣《なかとみ》氏に、神祇官を支配させたのだった。

太政大臣《だいじょうだいじん》は正一位か従一位と最高の官位を獲得したのに対し、神祇伯《じんぎはく》は従四位下と、差をつけられていたことも事実だ。けれども朝廷は、神祇官を独立させることで神道《しんとう》の権威を大いに高め、活用しようと考えたのだろう。

なぜ日本の律令は、行政を司《つかさど》る太政官のほかに、神道祭祀《さいし》を司る神祇官に権威を付与したのかというと、税を徴収するために、神の力を借りようと考えたからだ。

神祇官は豊年祈願の祭りを行うが、各地の有力な祝部《はふりべ》（神官）を集めた祈年祭《としごいのまつり》で、中臣氏は次のような祝詞《のりと》をあげた。

「天皇が稲穂などの幣帛《へいはく》を穀物の実りをつかさどる神に捧げるからこそ、神の加護を受け、これをもって農耕に励めば、再び豊作が約束される」

つまり、各地から集められた「穀物（稲穂などの幣帛、初穂）＝税」を皇祖神《こうそしん》に捧げ、神の霊力をつけて、豊穣を約束された種籾《たねもみ》を改めて各地の祝部に配り、それが地域の民に分配されるのだった。

つまり、この時代の「神道」「神社」「祝部（神官）」は、律令税制度の歯車に組み込まれていたのであって、だからこそ、神祇官は、太政官と並び立っていたわけである。

問題は、このような税制度を構築するために、国家が天皇家や皇祖神を美化する「神話」を構築し、それが『日本書紀』や『古事記』にしたためられた可能性が高い、ということなのである。

もし仮に、このシステム全体がうまく機能していれば、民は「神の恵み」に感謝していただろうし、神話の神々も、「作り話」とはいえ、徐々に民の間に浸透していったにちがいない。

ところが、律令は原始共産制だから、破綻《はたん》するのは時間の問題だった。さらに、藤原氏が律令制度を自家に都合の良いように利用したから、「藤原氏だけが富み栄える」という悪夢が待ち構えていた。貧富の格差が生まれ、多くの民は重税に苦しみ、借金を重ね、農地を手放し流浪《るろう》する者があとをたたなかった。これでは、記紀神話の神々も浮かばれない。「ありがたい神」だったはずが、搾取する悪代官役にまわってしまったわけである。

祝部たちも悲鳴を上げた。「神々が、神であることに疲れ果て、仏に帰依《きえ》したいと神託を下した」と報告してきた。ここに神仏習合のきっかけが生まれていくのだが、なんのことはない、要は祝部たちが、律令税制度の歯車から抜け出したいと、訴え出たのである。

これでは、記紀神話の神々が、尊重されるはずもなかった。

なぜ多くの渡来人がやってきたのか

では、稲荷社や八幡社といった渡来系豪族の祀る神社が、なぜ歓迎されていったのだろう。

まず注意しておかなければならないことは、記紀神話を、どれだけ多くの人々が、知っていたか、ということである。

税徴収システムのひとつの手段として、律令神道は成立したが、けれども、「神典」となった『日本書紀』や『古事記』の神話を読めた人間は、ごく限られた人たちであったろう。地方には、それぞれの地域の神話が残され、語り継がれていたはずで、多くの民は、そちらに親しんでいたにちがいないのだ。

では、なぜ稲荷社や八幡社が、全国区になっていったのだろう。

まずここで、「渡来人」についての基礎知識を確認しておこう。

縄文時代晩期から七世紀後半にかけて、日本列島には多くの渡来人がやってきた。

古墳時代以降の渡来のピークは三つある。（1）四世紀末から五世紀初頭、（2）五世紀後半から末期、（3）七世紀後半である。

江上波夫《えがみなみお》が「騎馬民族日本征服説」を唱えて以来、古代の日本は、朝鮮半島からやってきた渡来人に蹂躙《じゅうりん》され、征服されたという考えが、一時もてはやされた。天皇家も、元をたどれば渡来人だったのではないかと疑われた。

しかし、考古学の進展によって、「渡来人による征服劇」の可能性は、低くなってきている。

まず、三世紀から四世紀にかけて、ヤマトが建国されたが、寄り合い所帯だったことが考古学的に判明している。ゆるやかな連合体を束ねる弱い王の誕生であった。つまり、朝鮮半島から征服王が押しかけたわけではないのだ。

このころ、巨大な前方後円墳《ぜんぽうこうえんふん》が成立したことから、黎明《れいめい》期の王家に強大な権力が備わっていたかのような印象を受けるが、前方後円墳も、弥生《やよい》時代後期に各地で発達した埋葬文化を寄せ集めたものだったことが分かっている。

ヤマト建国時の文物の流れは、これまでの常識では「九州からヤマトへ」だったが、考古学の進展によって、「むしろヤマトから九州へ」であったことが分かってきている。朝鮮半島↓北部九州↓ヤマトという征服劇は、もはや想定不可能なのだ。

ではなぜ、多くの人々が海を渡ってきたかというと、いくつもの理由がある。最大の原因は、朝鮮半島北部の騎馬民族国家・高句麗《こうくり》が南下政策を採り、朝鮮半島が長い間争乱状態に陥《おちい》ったことだ。たとえば西暦三九九年、高句麗が百済《くだら》で兵士を徴発したため、多くの民が兵役を逃れ、飢餓に苦しむ新羅《しらぎ》に流れ込んでいる。このように、北からの圧力によって、ところてん式に朝鮮半島南部から、多くの人々が日本に向かったのである。

また天変地異も、大きな要因になった。朝鮮半島南部は、たびたび干魃《かんばつ》に見舞われていたのだ。三九七年秋七月に、新羅で日照りとイナゴの大量発生が起きていた。日照りは、何年も断続的に続いた。百済も似たようなもので、民は飢えていた（『三国史記』）。

そして、もうひとつの理由は、日本側が知識人と技術者の渡海を要請したことだ。朝鮮半島南部の国々は、背後の憂《うれ》えのないヤマト朝廷の軍事力をあてにしたから、朝廷は見返りにテクノクラートを求めたのである。

ちなみに、秦氏らは、朝鮮半島東南部の新羅（新羅系伽耶《かや》）から戦乱を避けて渡来した人々であった。五世紀のことと考えられている。

稲荷社と八幡社が受け入れられた理由

渡来人たちは、渡来したあと自由に暮らしていたわけではない。大豪族や大王家(天皇家)の支配下に組み込まれたのだ。新来の知識と技術は重宝された。富をもたらしたからである。また、渡来人たちは高級官僚にはなれなかったが、それぞれが富を蓄えていったようだ。

『日本書紀』の欽明《きんめい》天皇即位直前の記事に、次のような話が載る。欽明天皇は六世紀半ばの人物である。

欽明天皇がまだ幼かったときのこと、夢に人が現れて、次のように語ったという。

「もし秦大津父《はたのおおつち》なるものを寵愛《ちょうあい》すれば、あなたが成人したのち、天下を掌握するに違いありません」

それはなぜかといえば、秦氏が富を蓄えていたからだろう。欽明天皇は秦大津父を寵愛すると、「大きに饒富《にぎはひ》を致《いた》せり」とあり、国も栄えたという。

すでに触れたように、秦氏とかかわりのある土地では、「慢心し増長した長者が餅を的にして射たら餅は白鳥になった」という話が語り継がれていた。

秦氏にまつわる説話は、ことごとく「富」とかかわりを持つ。

たとえば『日本書紀』雄略十五年の条には、次のようにある。秦《はた》の民《たみ》を「臣《おみ》と連《むらじ》ら（他の有力氏族）」が勝手に使役し、秦造《はたのみやつこ》（秦氏）には委《ゆだ》ねなかった。だから秦造酒《はたのみやつこさけ》はとても憂えたまま、天皇に仕えていた。天皇は秦造酒を寵愛していたので、詔《みことのり》して秦の民を集め、秦造酒に下賜《かし》した。だから秦造酒は、大勢の人々を率い、庸《よう》（麻布）と調《みつぎ》（絹・絁《あしぎぬ》）と縑《かとり》（上質の絹）を奉献し、朝廷に積み上げた。そこで姓《かばね》を賜《たまわ》り、「ウヅマサ（うずたかく盛り上げたから）」とした。『古語拾遺《こごしゅうい》』（八〇七）や『新撰姓氏録《しんせんしょうじろく》』（八一五）にも、似た記事が載せられている。秦氏は殖産の民として活躍し、自らも財を蓄えていったのである。

ではなぜ、秦氏の祀る神が、人々に受け入れられていったのだろう。

秦氏は土木工事を得意としていた。たとえば京都嵐山《あらしやま》の渡月橋《とげつきょう》のすぐそばに葛野大《かどのおお》堰《い》がある。秦氏が造った島で、ここから水を二手に分け、灌漑《かんがい》用水を確保したのである。

ちなみに、秦氏は「先祖は秦の始皇帝《しこうてい》」と自称していたが、この葛野大堰を秦国の技術を用いて造ったと語っていた。事実、中国の都江堰《とこうえん》とそっくりだという森浩一《もりこういち》の指摘がある（『古代豪族と朝鮮』京都文化博物館編　新人物往来社）。秦氏は朝鮮半島南東部の出身だが、元をたどっていけば、中国（秦）から移ってきた可能性がある。

それはともかく、渡来人たちが果たした役割は、それまで手のつけられなかった荒地を、新技術を用いて開墾《かいこん》し、社会を豊かにしたということだろう。土木工事だけではなく、金属冶金《やきん》の分野や鉱山開発にも、彼らは活躍した。だから、権力者たちは、こぞって渡来人を囲い込んだのだろうし、いっぽうで庶民から観《み》ても、渡来人たちは恵みをもたらすありがたい存在だっただろう。当然のことながら、渡来人が祀る神を、人々は受け入れていったのである。

渡来系豪族と困窮した人々は、つながりやすい下地があったのだろう。律令制度の矛盾が噴出した奈良時代、多くの人々が流浪、漂泊すると、渡来系の高志《こし》氏出身の行基《ぎょうき》が各地に布施屋《ふせや》を設け、人々を救済し、各地で土木工事を行って、慈善事業を展開した。このため、多くの人々が行基を慕って集まった。

鎌倉時代には、秦氏の末裔《まつえい》の法然《ほうねん》が貧しい人々を救済している。こうしてみてくると、最下層の人間と渡来人のつながりは、古代から中世まで続いていたことがわかる。

朝廷が八世紀に構築した神々は、税金を吸い取るありがた迷惑な存在であり、かたや渡来人たちが祀る神は、現世利益《げんせりやく》につながっていったのだ。ここに、稲荷社と八幡社が広まっていった理由が、隠されている。

なぜ神話は編まれたのか

庶民に疎《うと》んじられた神話の神々。当然、巷《ちまた》で祀られる小さな祠には、日々幸をもたらす身近な神々が選ばれた。それが稲荷神であり、八幡神だった。

それでは、『日本書紀』や『古事記』の神話は、意味を持たなかったのだろうか。ただ単に、律令税制度を円滑に運営するために構築された作り話に過ぎないのだろうか。日本人の三つ子の魂は、記紀の神話には、残っていないのだろうか。

八世紀に編まれた『日本書紀』や『古事記』の神話が、単純で純粋で、無垢《むく》な神話であったかというと、じつに心許ない。

神野志隆光《こうのしたかみつ》は『古事記』（ＮＨＫブックス）の中で、律令国家が完成する段階で『日本書紀』や『古事記』が編纂されたことによって、律令制度は完成したと言い、次のように述べる。

端的にいえば、『古事記』『日本書紀』は、それによって自分たちの世界をいかに根拠づけ、確証するかということを負い、律令国家たることが支えられるという意味をもつものであった。

たしかに、歴史書編纂は、律令整備と大いにかかわっていただろう。ただし、それは『日本書紀』の話であって、『古事記』は別なのではないかとする考えは、根強いものがある。

坂本勝《さかもとまさる》は『はじめての日本神話』(ちくまプリマー新書)の中で、七世紀後半の世界的な近代化の流れの中にあって、『古事記』編者は、「古事《ふること》」の時代に敢えて視線を向けたのだという。そして、根源的な問いに向かって、神話を再編成したといい、次のように述べる。

大きな時代の転換期の中で、何が変わっていくのか、変わってはいけないものは何なのか、そういう本質的な問いかけが『古事記』にはあります。

その上で、「文明の時代に突き進」む中にあって、自然とのかかわりが『古事記』のひとつのテーマだったとするのである。なるほど、面白い視点である。

そもそも「神話」とは何かといえば、人類史の初期の段階で、物事の根源を探り、その思考を言葉で表したものといえるだろう。『古事記』は原点に戻ろうと訴えたのかも知れない。

『古事記』神話の楽しさを、もっと端的に示したのは、大塚ひかりではあるまいか。

『古事記』の特徴は、生命の根源たる「性」をすべての中心に据えているところであった。

『古事記』の性は、意欲も性欲もなくした、疲弊しきった心身を蘇《よみがえ》らせるという点では、他の古典の追随を許さない。

性愛メインの物語なのに、性愛への嫌悪《けんお》感《かん》が漂う『源氏物語《げんじものがたり》』と違って、『古事記』は性愛の重さをきちんと書き、生の根本を肯定している。だから読むと自分を肯定でき、「生きる力」が湧《わ》いてくる。(『愛とまぐはひの古事記』ちくま文庫)

頭の固い男性学者には思いつけない、斬新な着想であり、大いに首肯し、共感できる。神話には、太古の日本人の息吹がつまっていることは間違いないのである。

けれども、歴史書を編纂するという作業そのものが、政治的な行為であること、『古事記』も例外ではないことを、見逃してはなるまい。

そこで、『古事記』と『日本書紀』がどのように編纂されたのか、その過程を通説に従って追ってみよう。

なぜ同じ人物がふたつの歴史書を必要としたのか

正史《せいし》『日本書紀』が編纂されたのは、平城京遷都《へいじょうきょうせんと》の十年後、養老《ようろう》四年（七二〇）だ。大宝律令が発布され、律令制度が整ってから十九年後のことだった。

いっぽう『古事記』は和銅《わどう》五年（七一二）に完成したと、「序文」に記されている。

興味深いのは、『日本書紀』と『古事記』、どちらも、天武天皇が発案したと「自称」していることだ。

『日本書紀』天武十年（六八一）三月条には、多くの皇子《みこ》と群臣《ぐんしん》を集め「帝紀《ていき》と上古《じょうこ》の諸事《しょじ》を記定《しるしさだ》めしめたまふ」、すなわち、歴史書編纂を命じたとある。これが、『日本書紀』編纂事業の開始を意味していると、考えられている。

『古事記』序文には、元明《げんめい》天皇の勅命《ちょくめい》によって、太安万侶《おおのやすまろ》が編纂に取りかかったと記されるが、最初に言い出したのは、天武天皇だったとしている。

『古事記』序文は、壬申《じんしん》の乱（六七二）を詳しく描写し、天武天皇の業績を礼讃したあと、天武天皇の以下の詔を載せている。

朕《われ》は聞く。諸々《もろもろ》の家に残される帝紀《すめろきのふみ》と本辞《さきつよのことば》（旧辞《きゅうじ》。口誦《こうしょう》された神話や説話）は、すでに真実と異なるものが多く、虚偽が加えられている。今、その誤りを正さねば、いくばくもたたずに、本旨《ほんし》はなくなって消えてしまうだろう。これ（帝紀と本辞）すなわち、国家の土台であり、王化《おうか》（天皇の政治）の基礎となる。そこで、帝紀・旧辞を調べ上げ、偽りを削り、真実を定め、後の世に伝えようと思う。

したがって、天武天皇の遺志《いし》を元明天皇が継承して完成させたのが、『古事記』だったことになる。

通説は、このような『日本書紀』『古事記』、それぞれの生い立ちに関する記述を、ほぼ信頼している。『日本書紀』も『古事記』も、どちらも天武天皇の発案であり、ほぼ同時に完成したというのだ。

しかし、なぜ同じ政権内で、ふたつの歴史書が求められたのだろう。「同じ政権内」という言葉は、正しくない。「同じ人物（天武天皇）」が、なぜ「ふたつの歴史書」を編む必要性を感じたというのだろう。

それだけではない。なぜか、『日本書紀』と『古事記』は、外交問題に関し、異なる立場をとる。『日本書紀』は親百済、『古事記』は親新羅を主張している。これは不自然きわまりない。

朝鮮半島南部の百済と新羅は、怨敵同士《おんてきどうし》だったから、『日本書紀』と『古事記』の立ち位置の差は、不思議でならない。そこでしばらく、朝鮮半島の歴史をふり返っておこう。

怨敵だった百済と新羅

四世紀の朝鮮半島には、高句麗、百済、新羅、伽耶諸国が林立していた。この四つの地域の中で、倭人《わじん》が密接にかかわりを持っていたのは朝鮮半島最南端の伽耶諸国(任那《みまな》)で、弥生時代、北部九州と伽耶地域は同一文化圏と言っても過言ではないほど、交流が盛んだった。倭人はさかんに鉄資源を求めて、海を渡っていたという。

伽耶諸国は豊富な鉄資源と、多島海《たとうかい》を利用した交易によって、富み、栄えた。六世紀になると、隣国に領土をかすめ取られていくのだが、この時ヤマト朝廷が必死になって「任那復興」をスローガンに掲げたのは、弥生時代から続く、長い友好の歴史があったからだ。けれども伽耶は、欽明二十三年（五六二）に滅びてしまう。ヤマト朝廷は、もうひとつの同盟国・百済とともに新羅をはね返そうとしたが、稚拙な外交をくり返し、結局伽耶は新羅にかすめ取られたのだ。ここに、大切な同盟国と朝鮮半島における拠点を失ったのである。

伽耶滅亡の直接の原因は新羅の侵攻に求められるが、根っこを辿《たど》っていくと、高句麗の南下政策に行き着く。

半島の北側に位置する高句麗は、四世紀末から南下政策を採り、南西側の百済と南東側の新羅は、時には手を結び、時には反目し合うという行動をくり返した。百済と新羅は、おおよそ三つの手段を用いて、高句麗をはね返そうとした。

（1）中国王朝に救いを求め、高句麗を牽制《けんせい》してもらう。
（2）百済と新羅が手を結んで、高句麗を撃退する。
（3）倭国軍の渡海、遠征を要請する。

中国王朝がつねに百済や新羅の思惑どおりに動いてくれるとは限らなかった。また、中国の王朝そのものが、分裂し弱体化することもたびたびだった。そこで、主に

（2）や（3）の策が採られたのである。

五世紀の五人の天皇（讃《さん》・珍《ちん》・済《せい》・興《こう》・武《ぶ》。いわゆる倭《わ》の五王《ごおう》）が、東アジアで名を馳《は》せたのは、このような朝鮮半島情勢の中で、背後の憂いのない倭国の軍事力が期待されたからだ。また、多くの知識人や最新の文物が日本列島に流れ込んできたのも、「倭国の助けが欲しい」という、朝鮮半島諸国の切実な願いがあったからにほかならない。

ただし、倭国は伽耶諸国や百済と同盟関係を結んでいたから、新羅はこれに対抗して、高句麗と手を結ぶこともしばしばだった。朝鮮半島の国々は、状況の変化に対応し、あの手この手を駆使し、生き残りを模索し続けたのである。

しかし、四つの地域のうち、最後まで生き残り、朝鮮半島の統一を果たしたのは、新羅であった。

新羅はもっとも貧しい地域だった。中国から見て裏側にあるというだけではない。平野が少なく、多島海を有する伽耶地域に比べて天然の良港も少なく、海上交通でも不利だったのだ。ところが新羅は、次第に国力をつけていったのだ。

また、百済と新羅は伽耶に対する領土的野心を露《あら》わにしていく。倭国は百済に対し侵略を黙認し、逆に新羅に対しては、交戦しようと考えたようだ。しかし、ヤマト朝廷内の足並みが揃わず、また、百済の侵攻を許したヤマト朝廷を伽耶は恨んだと『日本書紀』は記す。つまり、混乱を引き寄せたのは、倭国の「国内問題」だったのである。

たとえば、ヤマト朝廷の出先機関である任那日本府が、百済のみならず、天皇の命令を無視し、高句麗や新羅に通じるという信じられない行動に出はじめている。

なぜこのようなことが起きてしまったのだろう。それは、「親百済派」と「親新羅派」の葛藤《かっとう》が、ヤマト建国来くり返されてきたからにちがいない。これは、日本海勢力と瀬戸内海勢力の主導権争いなのだが、詳細は、のちに触れる。

そうこうしている間に、伽耶は滅亡したのだ。そしてこのあとも、百済と新羅は、死闘を繰り広げていく。

滅亡した百済の遺恨

六世紀末以降、朝鮮半島情勢は、中国王朝に誕生した統一国家、隋や唐の動きに翻《ほん》弄《ろう》された。隋や唐にお伺いを立てながら、隣国とにこやかに談笑し、テーブルのしたで、スネを蹴《け》り合っていた、という感じだろうか。

中国王朝にとっての問題児は、騎馬民族国家の高句麗で、隋は度重なる遠征の失敗で国力を落とし、推古《すいこ》二十六年（六一八）、農民の反乱によって滅亡してしまう。この直後、唐が出現した。隋の轍《てつ》は踏むまいと、唐は高句麗と友好関係を結ぼうとした。こうして、朝鮮半島に、一時の平和が訪れたのである。ところが、唐の第二代皇帝・太宗《たいそう》は、高句麗を挑発し、雲行きが怪しくなってしまう。

刺激を受けた高句麗では、皇極《こうぎょく》元年（六四二）にクーデターまで起こり、中央集権的で軍国主義的な政権が誕生している。百済は高句麗と手を組んで、新羅に攻め入った。

皇極三年（六四四）、唐が高句麗を攻めはじめると、百済はこれ幸いと、火事場泥棒のように新羅を攻めた。百済の連戦連勝であった。

開き直った新羅は、唐と手を組み、連合軍を結成する。そして斉明《さいめい》六年（六六〇）、百済を挟み撃ちにし、百済はいったん滅びたのである。

こののち、百済復興運動が起き、ヤマト朝廷に人質として送り込んでいた王子・豊《ほう》璋《しょう》を呼びもどして狼煙《のろし》を上げた。ヤマト朝廷も大軍を送り込んだが、天智《てんじ》二年（六六三）敗れ去った。これが、白村江《はくすきのえ》の戦いだ。百済はここに、消滅したのである。

この間、朝鮮半島だけではなく、日本列島の中でも、熾烈《しれつ》な駆け引きが続いていた。

高句麗、百済、新羅は、ヤマト朝廷に先進の文物を贈り、また、来日した僧たちは、ロビイストとして活躍したのである。

問題は、この時代の主導権を握っていた蘇我《そが》氏の動きである。

蘇我氏は当初、百済との連携を重視していたようだ。たとえば日本初の法師寺《ほうしじ》（男性の僧のために建てられた寺）で、蘇我氏の氏寺でもある法興寺《ほうこうじ》の建立《こんりゅう》には、百済の全面的なバックアップがあった。仏教公伝《ぶっきょうこうでん》（五三八あるいは五五二）に際し、「われわれが仏像を祀《まつ》る」と挙手したのは蘇我氏だが、この時、日本に仏教と仏像を伝えたのは、百済の聖明王《せいめいおう》であった。

ところが、蘇我氏が強大な権力を保持するようになると、次第に「百済一辺倒外交」ではなく、全方位形外交を選択していくのである。ここに、百済の焦《あせ》りがあったし、蘇我氏に対する恨みは深かったと思われる。

皇極四年（六四五）の蘇我入鹿《そがのいるか》暗殺と蘇我本宗家《ほんそうけ》滅亡（乙巳《いっし》の変）も、このような外交問題が、影を落としていた可能性が高い。蘇我入鹿を殺しのちに実権を獲得した中大兄皇子《なかのおおえのみこ》は、無謀とも言える百済救援に邁進《まいしん》している。

六世紀来続いてきたヤマト朝廷内の朝鮮半島をめぐる思惑の差は、七世紀半ばになっても、解消されなかったのだ。

渡来人のロビー活動と日本の外交

七世紀後半のヤマト朝廷は、百済と新羅のどちらを採るかで、揺れに揺れた。中大兄皇子は「負けるに決まっている」と非難されつつも、百済救援を強行し、大敗北を喫した。これが白村江の戦い（六六三）で、日本はここで一度滅亡の危機を味わう。その後中大兄皇子は即位して天智天皇となるが、間もなく崩御《ほうぎょ》。弟の大海人皇子《おおあまのみこ》と子の大友皇子《おおとものみこ》が、皇位継承権をかけて激突し、大海人皇子が勝利を収める。これが壬申の乱（六七二）で、即位した天武天皇は、かつて無いほどの親新羅政策を採るようになった。ところが、天武天皇崩御ののち、即位した持統《じとう》天皇は、新羅に冷淡になっていく。以後、次第に朝廷は新羅を見下し、蔑視《べっし》し、軽視していくようになったのである。

なぜ、このように、朝鮮半島をめぐる政策は二転三転したのだろう。そしてなぜ、『記・紀』編纂後の朝廷は、新羅を敵視していくことになるのか。

鍵《かぎ》となるのは、白村江の戦いで大量の百済系遺民が日本に亡命し、彼らが天智天皇の元で、重用されていったこと、天智天皇崩御ののち、百済系渡来人は大友皇子の即位を願ったが、壬申の乱で敗れたために、冷や飯を食わされたこと、そして、持統天皇が即位して以降、徐々に彼らは登用されるようになり、「親百済閥」の形成に成功したことである。

さらに、拙著『藤原氏の正体』（新潮文庫）の中で詳述したように、筆者は中臣鎌足《なかとみのかまたり》が百済王子・豊璋と同一人物だったとみる。

中臣鎌足の末裔・藤原氏は、一貫して「反新羅政策」をとり続けた。それはなぜかといえば、彼らが百済王家の出身だからだろう。最大の仇敵《きゅうてき》で百済を滅亡に追い込んだ新羅を、彼らは憎みつづけたのだ。恵美押勝《えみのおしかつ》（藤原仲麻呂《ふじわらのなかまろ》）は、中臣鎌足以来の念願である、新羅征討を実現しようと奔走したことになる。

もし仮に中臣鎌足が百済出身でないとしても、藤原氏が親百済派であったことにかわりはない。

独裁権力を握ることに成功した恵美押勝（藤原仲麻呂）は、唐の安禄山《あんろくざん》の乱によって東アジアに緊張が高まるとの情報を天平宝字《てんぴょうほうじ》二年（七五八）に入手、翌天平宝字三年（七五九）には、新羅征討を企んだ。安禄山の乱の争乱の中で新羅を討っても、唐は加勢しないという読みと、新羅の敵・渤海《ぼっかい》（新羅の北側の国）と、手を組むことができたからである。北部九州の防衛を堅くし、船五百艘《そう》に四万の軍勢という、大規模な遠征計画であった。ただし、決行はされなかったが……。

建前上のきっかけとなったのは、「新羅が日本の使節に無礼を働いたから」というが、要は、八世紀の政権が新羅を敵視していたことが最大の原因である。

つまり、百済を採るか新羅を採るかの外交政策が二転三転したのは、日本国内の権力闘争の背後で百済系と新羅系渡来人が暗躍し、ロビー活動を行なった結果ということになる。百済系の推す人物が権力を握れば、朝廷は「親百済」となり、その逆もあったのである。

『日本書紀』は持統と藤原不比等《ふじわらのふひと》の政権の歴史書

八世紀以降の朝廷は、はっきりと「反新羅」を打ち出している。それならばなぜ、『古事記』は「親新羅」を標榜《ひょうぼう》したのだろう。この「蛮勇」には裏がありそうだ。そして、『古事記』を編纂した人たちに、どのような利益があったというのだろう。あるいは、新羅から来日していた「ロビイスト」たちが、『古事記』編纂を後押ししたというのだろうか。

いっぽう正史である『日本書紀』は、明らかに「親百済」を打ち出し、新羅を嫌っている。これが、正史として当然の姿勢と言える。異常なのは、『古事記』である。ところで今述べたとおり、『日本書紀』と『古事記』の編纂を思いついた天武天皇は、壬申の乱を制して即位すると、親新羅政策を採った。とすると、ここで不思議なことに気付かされる。

通説は、『日本書紀』は天武天皇の正当性を主張するために記されたと考える。天武は兄・天智の子である大友皇子を殺して玉座《ぎょくざ》を手に入れた。したがって、壬申の乱の大義名分を掲げる必要があったというのだ。また、『日本書紀』は天武天皇存命中には完成しなかったが、その後も天武の王家が継続したので、『日本書紀』は天武天皇にとって都合の良い歴史書だったと考える。

しかし、天武天皇は親新羅政策を掲げていたのだから、ここに大きな疑念が生じる。なぜ『日本書紀』は、天武天皇の政策を否定するような記事を残したのだろう。『日本書紀』編纂が、天武天皇崩御ののち三十数年を経て完成していることは、無視できない。『日本書紀』は天武にとって都合の良い歴史書ではなく、正確にいえば、天武天皇崩御ののち三十数年後の政権にとって都合の良い歴史書だったはずだ。そして、「血の論理」でいえば、たしかに天武の末裔が順番に皇位を継承していたとしても、問題はその取り巻きたち、実権を握った者たち、ということになる。もし仮にこの時代の天皇が傀儡《かいらい》なら、『日本書紀』は、その「取り巻きたちにとって都合の良い歴史書だった」と考えられるはずである。

『日本書紀』が完成した西暦七二〇年、朝廷のトップに立っていたのは、藤原不比等であった。藤原不比等は中臣鎌足の子で、中臣鎌足が仕えていたのは中大兄皇子（天智天皇）だ。天智天皇と天武天皇（大海人皇子）は、兄弟でありながら反りが合わず、だからこそ、天智天皇の崩御ののち、大友皇子と大海人皇子は激突したのだった。天武天皇崩御ののち即位した持統天皇は天智天皇の娘で、持統天皇は野に下っていた藤原不比等を大抜擢《ばってき》したから、ここで壬申の乱でひっくり返った政権は、復活していたことになる。中大兄皇子と中臣鎌足のコンビが、そのまま持統天皇と藤原不比等のコンビに入れ替わっただけなのだ。

ここに、『日本書紀』が隠した静かなクーデターが起きていたと筆者はみる。静かだが、重大な事件である。こののち即位する天皇は、「天武の子や孫たち」だけではなく、本来必要のない女帝があいついで立ったが、彼女たちは「持統天皇の縁者」だった。しかも正統な「天武の子や孫」たちの中でも、「持統の子や孫だけが即位できた」のだから、天武天皇崩御ののちに成立したのは、天智＋中臣鎌足体制を継承する「持統女帝の王家」だった。天武の発案によって完成した『日本書紀』が、いつの間にか天智や持統、そして藤原氏にとって都合の良い歴史書になってしまったわけである。

つまり、正史『日本書紀』は、天武天皇の死後の政権にとって都合の良い歴史書であったのに対し、『古事記』の「親新羅」記事は、天武天皇寄りの姿勢であったことになる。二冊が同じ政権内で造られたとは考えられないし、なぜ、天武と天武の敵双方の主張が、『日本書紀』『古事記』それぞれに込められたのだろう。

ヤマト建国説話と考古学の一致

八世紀前半の政権にとって、『古事記』は不必要な歴史書だった。ここに、『古事記』の大きな謎が隠されている。なぜ、親百済政権が朝堂を牛耳《ぎゆうじ》る時代、親新羅をうたいあげる『古事記』が、編纂されたのだろう。

そこで話を進める前に、ひとつ確認しておきたいのは、八世紀の朝廷が、どこまで歴史を知っていたのか、ということだ。というのも、『日本書紀』の六世紀以前の記述は曖昧《あいまい》で矛盾に満ちているため、正確な歴史は再現できないと考えられている。すでに八世紀の段階で、正確な情報は、残っていなかった可能性が高いとされる。

しかし、どうにも腑《ふ》に落ちないのは、考古学の度重なる発見によって、ヤマト建国の輪郭がようやくつかめるようになってくると、いくつかの点で『日本書紀』のヤマト建国をめぐる記事と考古学の指摘が合致してきたことだ。すると、『日本書紀』は、ある程度古い時代の歴史を把握していたのではないかと思えてくる。

そして、本当の問題は、「知っていたのに知らぬ振りをした」のではないかと思えてくることなのである。

これが何を意味しているのか、説明しよう。

『日本書紀』に従えば、ヤマトの初代王は神武《じんむ》天皇（神日本磐余彦《かむやまといわれびこ》）で、九州から瀬戸内海を東に向かい、紆余曲折《うよきよくせつ》を経てヤマトに入り、王となった。計算すると、今から二千六百年以上も前の話になる。縄文時代晩期から弥生時代にあてはまり、事実とは到底思えない。

通説は、神武天皇と第十代崇神《すじん》天皇を同一人物とみなすことで、この不自然な記述の謎を解いている。ふたりとも「ハツクニシラス天皇《すめらみこと》（はじめて国を治めた天皇）」と称賛されているのだ。

また、第二代綏靖《すいぜい》天皇から第九代開化《かいか》天皇に至るまでの事蹟が空白になっていることなどから、彼らを「欠史八代《けつしはちだい》」と呼び、実在性が薄いと判断した。しかも、『日本書紀』の神武天皇の事蹟は最初と最後だけ記され、中間が抜け落ちている。かたや崇神天皇は、最初の部分が欠落していることから、ふたりの記事を合体させれば、ちょうどひとりの伝記になるというのである。

では、なぜ本来同一人物であったのに、わざわざふたりに分解してしまったのかといえば、天皇の歴史を古く見せかけるためだったとする。

筆者は、初代神武天皇と第十代崇神天皇を同一人物ではなく、同時代人と考える。その理由はのちに触れるが、ここで大切なことは、神武も崇神も、ヤマト黎明期の王であったこと、ふたりの時代に起きたとされる『日本書紀』の記事と考古学の指摘が、合致することなのである。

たとえば、『日本書紀』に従えば、ヤマト建国の前後、方々から神や人が集まっていたことになる。建国以前のヤマトには、出雲《いずも》から大物主神《おおものぬしのかみ》が移し祀られていた。また、いずこからともなく、物部《もののべ》氏の祖・饒速日命《にぎはやひのみこと》が天磐船《あまのいわふね》に乗って降り立ち、先住の長髄彦《ながすねびこ》の妹を娶《めと》り、君臨していた。そして最後に、神武天皇が九州からヤマトにやってきたという。

考古学も、これとよく似たシナリオを描いている。すなわち、西日本各地と近江《おうみ》や尾張《おわり》から人々が集まり、ヤマトは建国されたというのだ。この時代、ヤマトには、各地の土器が集まってきていた。土器を携えて、人が移動してきたのだ。また、ヤマト建国のシンボルである前方後円墳は、吉備《きび》や出雲、ヤマト、北部九州の埋葬文化が融合して完成したのではないかと疑われている。

各地から人が集まってヤマトが建国されたという状況は、『日本書紀』と考古学でまったく同じだ。しかも、「最後の最後に九州がやってきた」という状況も、合致している。

さらに、崇神天皇は、各地に将軍（四道将軍《しどうしょうぐん》）を派遣し、彼らが凱旋《がいせん》した次の年、天下は大いに平穏になったため、「ハツクニシラス天皇（御肇国天皇《はつくにしらすすめらみこと》）」と称《たた》えられたとある。

注目したいのは、四道将軍の行動範囲とヤマト建国後の前方後円墳の伝播《でんぱ》した地域がほぼ重なっていることだ。前方後円墳というヤマトの埋葬文化を選びとった地域が、「ヤマトの版図」に組み入れられていった様子が、みてとれる。もちろん、これが強圧的なヤマトの圧力によって生まれた関係ではなく、ゆるやかなつながりであったことも分かっている。

いずれにせよ、八世紀の朝廷が、ヤマト建国の記憶を失っていなかった可能性は高くなるばかりなのだ。

藤原氏と蘇我氏に対する『日本書紀』の不可解な態度

これまで、「絵空事」と捨て置かれてきた神話も、ヤマト建国と繋《つな》がってくる可能性が高い。

たとえば、神話のクライマックスといえば、出雲の国譲《くにゆず》りと天孫降臨《てんそんこうりん》だが、かつて「神話にある出雲のような勢力は、山陰地方にはなかった」と考えられていたものだ。ところが、発掘調査が進み、弥生時代後期のこの一帯に、けっして侮《あなど》れない勢力が存在していたことがはっきりとした。そして、すでに触れたように出雲はヤマト建国に大いに貢献していたことが分かっているが、そのいっぽうで、ヤマトの体制が整うと、逆に出雲が没落していったことが、考古学的にはっきりと分かってきたのだ。つまり、出雲の国譲り神話も、何かしらの史実を元に創作された疑いが強いのである。

問題は、八世紀の朝廷がヤマト建国の経緯を知っていたとすれば、そのいっぽうでなぜ、六世紀以前の歴史は矛盾に満ち、あやふやなのか、ということだ。そしてヤマト建国の経緯を、神武と崇神ふたつに分けてしまった理由は、通説がいうように、「天皇の歴史を古く見せかけるため」なのだろうか。

すでに触れたように、『日本書紀』編纂時の権力者は藤原不比等だったが、藤原氏の繁栄の基礎は、中臣鎌足が蘇我入鹿を暗殺したことに端を発している。『日本書紀』に従えば、当時の蘇我氏は専横を極め、天皇家を蔑《ないがし》ろにしていたという。すなわち、『日本書紀』は蘇我本宗家滅亡事件の正当性を高らかに歌い上げているのだが、そうしなければ「藤原氏の正義」は証明できなかったのだから、当然のことである。

『日本書紀』は藤原不比等の父・中臣鎌足の父母の名を挙げず、系譜も明らかにしていないが、いっぽうで蘇我氏の祖が誰だったのかも、記録していない。どちらもおかしな待遇を受けているのだが、権力者・藤原氏の祖である中臣鎌足の父の名を『日本書紀』が載せなかったのは、「語ってしまえば、正統性を失いかねなかったから」だろう。要するに、藤原氏は出自の怪しい一族なのである。

かたや、蘇我氏の祖の名を挙げられなかったのは、蘇我氏が思いのほか「高貴な家柄」だったからだろう。

拙著『蘇我氏の正体』（新潮文庫）の中で詳述したように、蘇我氏はいたる場面で「出雲」とつながってくる。象徴的なのは、出雲大社真裏の素戔嗚神《すさのおのかみ》を祀る社《やしろ》で、これを素鵞社《そがのやしろ》という。

これが偶然とは思えないのは、「素鵞社」は、素戔嗚神の最初の宮「須賀《すが》」に由来する（音韻変化したのだろう）と思われるが、蘇我氏の地盤であったヤマトの飛鳥《あすか》の地名は、「ア＋スカ（須賀）」ではないかとする有力な説があって、事実飛鳥は出雲神の密集地帯なのだ。

神話の中で出雲神は皇祖神の敵に描かれるが、七世紀の蘇我氏も天皇家の敵として扱われている。神話の出雲神と蘇我本宗家の「悪役ぶり」は際立《きわだ》っている。これは、『日本書紀』の意図的な構図であろう。

出雲《いずも》国造《こくそう》は新任されるとヤマトに出向いて「出雲《いずも》の国《くに》の造《みやつこ》の神賀詞《かむよごと》」（出雲の神々の祝福の言葉）を奏上するが、その中で、飛鳥の神奈備《かんなび》（奈良県高市《たかいち》郡明日香《あすか》村）に出雲の神を鎮座させる、という話が出てくる。

出雲と蘇我氏はつながっていて（ようするに、蘇我氏は出雲出身だったと筆者はみる）、彼らはヤマト建国で大活躍したのだろう。そして、ヤマト建国時、蘇我系の英雄が輩出していたからこそ、藤原不比等は、『日本書紀』の中で、ヤマト建国を正確に記録することができず、時代をふたつに分けたり、肝腎な話は、神話に封印してしまったに違いないのである。

『古事記』の謎を解くヒント

なぜここまで、『日本書紀』とヤマト建国にこだわったかというと、まず『日本書紀』の政治性を、はっきりとさせておきたかったからだ。中国では歴史書は新王朝が前王朝を倒した正当性を証明し、王朝交替の正義を訴えるために記した。極めて政治的な所作なのである。『日本書紀』も、例外ではない。

『日本書紀』を編纂した政権が、天智天皇（中大兄皇子）と中臣（藤原）鎌足の後継者であったことは、すでに述べたとおりだ。とするならば、「『日本書紀』政権」誕生の端緒は、乙巳の変の蘇我本宗家（蘇我蝦夷《そがのえみし》や入鹿）滅亡に求められる。だからこそ『日本書紀』は蘇我氏を「古代史最大の悪人」に仕立て上げる必要があったのだ。蘇我氏が天皇家を蔑ろにし、聖徳太子の子の山背大兄王《やましろのおおえのみこ》の一族（上宮王家《じょうぐうおうけ》）を滅亡に追い込んだので、中大兄皇子や中臣鎌足が成敗してみせたという勧善懲悪《かんぜんちょうあく》の物語を用意したのである。

これらの「悪＝蘇我」「善＝中大兄皇子＋中臣鎌足」という単純な構図は、『日本書紀』のでっちあげに過ぎないことは、他の拙著の中で述べたとおりである。

ここで指摘しておきたいのは、蘇我入鹿暗殺の直後、親蘇我派の古人大兄皇子《ふるひとのおおえのみこ》が自宅に戻り、叫んだ言葉である。

韓人《からひと》、鞍作臣《くらつくりのおみ》を殺《ころ》しつ。韓政《からひとのまつりごと》に因《よ》りて誅《つみ》せらるるを謂《い》ふ。吾《わ》が心痛《こころいた》し

ここに登場する「韓人」は、朝鮮半島の人を指していよう。ただし『日本書紀』には分注があって、「韓人は韓政《からひとのまつりごと》のこと」とする。一般にここにある「韓政」は、蘇我入鹿が殺されたとき、三韓（新羅、百済、高句麗）が調進していて、中大兄皇子らはこの機会を狙《ねら》って入鹿暗殺を決行したことを指しているのだろう、とする。

しかし、中大兄皇子はこののち実権を握ると、無謀な百済救援に向かっている。私見通り中臣鎌足が百済王子・豊璋でなくとも、藤原政権が「親百済」を掲げ続けたのは事実であって、中大兄皇子と中臣鎌足による蘇我入鹿暗殺が、百済本国の利害と一致していた可能性は高い。

そしてここに、『古事記』の謎を解くヒントが隠されていたように思えてならない。改めて述べるまでもなく、『日本書紀』が政治的な文書であったのなら、『古事記』

も政治的な目的があって編まれたと判断すべきなのだ。そして、『日本書紀』が親百済を標榜し、『古事記』が親新羅を訴えていることに、興味を示さざるを得ない。『古事記』は、なぜ、あえて時の権力者の意向を無視したのだろう。なぜ無視し得たのだろう。

これまで、『古事記』は「神典」「文学」という色眼鏡でみられてきたような気がしてならない。そうではなく、誰が、何を目的に『古事記』を編んだのか、考え直す必要があるのではなかろうか。

第二章　『古事記』をめぐる仮説

怪しいのは『古事記』序文

『古事記』は偽書ではないか、とする説がある。

なぜこのような「突飛」な発想が生まれたかというと、第一に、「序文」が怪しいからだ。

『古事記』は三巻に分かれ、上巻が神代《かみよ》を、中巻が初代神武《じんむ》天皇から第十五代応神《おうじん》天皇まで、下巻が第十六代仁徳《にんとく》天皇から第三十三代推古《すいこ》天皇までを収録している。この三巻に、序文が附随する。

まず、序文でありながら、最初の一言が「臣安万侶《しんやすまろ》言《まを》す」と、上表文の形をとっている。上表文とは、天皇に意見書などを奏上することで、このことからして、不自然だ、という指摘がある。すなわち、元明《げんめい》天皇に『古事記』を献上する場面が、太安万侶の言葉を借りて描写されていて、このような形式は、平安朝以降に採られるようになったものなのだ。

また、上表文の中で太安万侶は、混沌とした宇宙の話から、神代の話、歴代天皇の業績の概略を述べ、壬申《じんしん》の乱における大海人皇子《おおあまのみこ》(天武《てんむ》天皇)の活躍を称賛しているが、この壬申の乱をめぐる記述の中に、『日本書紀』から採ったと思われる部分が散見できることも、序文の怪しさを際立《きわだ》たせている。

『古事記』序文の終盤には、次のような『古事記』編纂《へんさん》の具体的な経過が記される。和銅《わどう》四年（七一一）九月十八日、元明天皇は太安万侶に、「稗田阿礼《ひえだのあれ》の誦習《しょうしゅう》した『旧辞《きゅうじ》』を撰録《せんろく》せよ」と命じた。ただし、上古の言葉は木訥《ぼくとつ》で飾り気がなく、文字に書き表すことはむずかしい。そこで、音と訓を交えて記述するという。最後に、次のように署名がある。

和銅五年正月廿八日
正五位上勲五等太朝臣安萬侶

『古事記』偽書論者は、まずこの序文を疑ったのである。

すでに明和《めいわ》五年（一七六八）、国学者賀茂真淵《かものまぶち》が本居宣長にあてた書簡の中で、偽書説を唱えている。『古事記』序文は和銅年間（七〇八〜七一五）に成立したというが、これは疑わしく、太安万侶が編纂したという話も信じられないと疑いだしたのだ。

儒学者で国学者でもある沼田順義《ぬまたゆきよし》も、文政十三年（一八三〇）に記された『級長戸《しなとの》風《かぜ》』の中で、なぜ『続日本紀《しょくにほんぎ》』では、すでに完成していたはずの『古事記』撰録の詔《みことのり》が無視されたのか、『日本書紀』はなぜ先に編まれた『古事記』を参照しなかったのか、疑念を抱き、「『古事記』は偽書だ」と言い出したのである。

なぜ史学界は『古事記』偽書説を笑殺するのか

こののち、明治維新後、『古事記』偽書説は鳴りをひそめるが、昭和四年（一九二九）、伊勢《いせ》の僧侶《そうりょ》・中沢見明《なかざわけんみょう》は、『古事記論』で次のような疑問を抱き、『古事記』偽書説を新たに立ち上げたのである。

（1）『古事記』序文には、天武天皇の即位以来修史事業は行われていないというが、『日本書紀』天武十年（六八一）の記事に『帝紀』を記すことが命じられたとある。
（2）稗田阿礼は『日本書紀』や『続日本紀』といった正史《せいし》に登場しない。
（3）『古事記』編纂の詔と和銅五年に献上された事実を『続日本紀』が無視している。

中沢見明は、稗田阿礼の実在性を疑問視したのだ。また、『日本書紀』や『続日本紀』のみならず、『新撰姓氏録《しんせんしょうじろく》』にも『古事記』が載っていないことを不自然と感じたのである。

しかし、記紀神話を教育に活用していた時代、中沢見明の指摘は、見向きもされなかった。いや、正確に言えば、学界の総スカンを食らい、憲兵には国賊扱いを受けるに至ったのである。

『古事記』偽書説が日の目を見るようになったのは、戦後になってからだ。筏勲《いかだいさお》や西田長男《にしだながお》らが、『古事記』序文の記事を、徹底的に疑ってかかったのだ。末尾の太安万侶の署名の場面で、「官名」を書き落としていて、公文書の規則から逸脱していること、和銅五年に『古事記』が成立したと主張しているのは序文だけで、客観的な証拠がないことから、『古事記』偽書説を展開したのだった（筏勲『上代日本文学論集』・西田長男『国学院雑誌』昭和三十八年三月号）。

もっとも、通説はこれらの考えを受け付けていない。「笑殺」してしまうのだ。やはり、『古事記』にはいまだにタブーがあるというのだろうか。

近年、多くの『古事記』の入門書が出版されているが、ほとんどが、『古事記』を礼讃するいっぽうで、偽書説が説かれていることを、説明していない。『古事記』が和銅年間に記されたことは自明のことであるかのように、解説するのである。
たとえば竹田《たけだ》恒泰《つねやす》は、『現代語 古事記』(学研)の中で、昭和五十四年(一九七九)に奈良市此瀬《このせ》町で遺骨の残る木棺《もっかん》と太安万侶の墓誌銘《ぼしめい》が発見されたことに関し、次のように述べる。

その銅板には、安万侶の墓誌銘と年号が記されていたことで、安万侶が実在する人物であったことが確認されたのです。それにより『古事記』偽書説は雲散霧消しました。

たしかに、墓誌発見当時、大騒ぎになり、「『古事記』偽書説を否定する物証が飛びだした」と騒がれたものだ。しかし冷静に考えれば、太安万侶が実在したからといって、『古事記』が序文どおり編纂された証拠にはならないのである。
竹田恒泰に限らず、『古事記』の専門家の多くは、「もはや偽書説は成り立たないのだから、詳しく説明する必要は無い」と思っている節がある。
工藤隆《くどうたかし》は『古事記の起源』(中公新書)の中で、次のように述べる。

『古事記』は、現存するかぎりのもので言えば、無文字民族だった日本列島民族が文字で残した書記物の中で、明確な執筆方針のもとに編纂《へんさん》された大部《たいぶ》の著作の、おそらくは日本最初のものだった。

つまり、『古事記』序文の示す編纂時期を、素直に受け入れている。偽書説に関しては、『古事記』に用いられていた漢字が、奈良時代前期まで残っていた上代特殊仮《じょうだいとくしゅか》名遣《なづか》いを使い分けていたことを根拠に、奈良前期までに完成していたことは「確実」と短く述べるに留めている。

もし『古事記』を平安時代の人が書いたとすれば、奈良時代後期からは忘れ去られていたことが確実で、その法則が発見されたのが近世以後である上代特殊仮名遣いを、偽書を書いた人はすでに平安時代に知っていたことになるので、これはありえないと考えていいのである。（前掲書）

なるほど、一見して説得力のある指摘だ。しかし、これだけの説明で、偽書説を「一蹴《いっしゅう》」してしまってよいのだろうか。

従来の『古事記』研究には根本的な誤りがあった？

『古事記』序文にあるように、『古事記』編纂が天武天皇の発案で、その後元明天皇の命令で完成したというのなら、なぜ『日本書紀』が親百済《くだら》で、『古事記』が親新羅《しらぎ》なのか、この外交戦略の差を、どのように考えればよいのだろう。

これまでとは少し毛色の違った考えを示す学者もいる。たとえば三浦佑之《みうらすけゆき》は、『古事記を読みなおす』（ちくま新書）の中で、「従来の研究には根本的な誤りがあった」と訴えている。

まず、明治維新後、西欧型の近代国家構築を急いだ政府は、西欧の法や文明を受け入れる一方で、国家の精神的支柱に天皇という「古色蒼然《そうぜん》たる遺物」を利用し、その幻想を『古事記』と『日本書紀』によって補い、保証したとする。そして、天皇の起源と歴史の正統性を伝えるために、本来異なる目的で記された『日本書紀』と『古事記』の神話を合体させて、これを「記紀神話」と、一体化させてしまったのだと説く。味気ない『日本書紀』と、情緒的な『古事記』を組み合わせることによって、国定教科書に載る話が完成した、というのである。

そして、史学者や文学者の『古事記』を見る目も、曇ってしまったという。「記紀」という呪縛《じゅばく》が強固なために、古事記もまた日本書紀と同じく、天武天皇の意志によってもくろまれた「国家の歴史」に違いないという、ほんとうなら疑ってよい認識を無批判に受け入れてしまったのです。

といい、「思考を停止してしまった」と、指摘するのである。

ついでまでに言っておくと、『日本書紀』でさえも、果たして天武の意志で編纂されたのかどうか、疑ってかかる必要があるのだが、それにしても、こんな単純な謎《なぞ》を、ようやく指摘してくれる人が現れただけでも、ありがたいことなのだ。

三浦佑之は、『古事記』序文は後世の偽作と判断するいっぽうで、『古事記』そのものは、序文が言うよりも、もっと古かった可能性があったと言い、その上で、『古事記』は一般に言われているような、古代律令《りつりょう》国家が求めた歴史書ではなかったことを、強調するのである。

親百済と親新羅という、相容《あいい》れない外交政策のそれぞれを標榜《ひょうぼう》する『日本書紀』と『古事記』が、同一人物＝天武天皇によって発案され、同じ八世紀の朝廷の手で編纂されたことからして、すでに現実味がないのに、なぜ史学者、文学者たちは、古事記偽書説を猛烈に批判し、もはや議論の余地もないと、無視するのだろう。

不可解な謎ではないか。

『古事記』と特殊仮名遣い

筆者は今もっとも理路整然と『古事記』を語れるのは、大和岩雄《おおわいわお》（『古事記成立考』大和書房）しかいないと考え、拙著『古事記逆説の暗号』（東京書籍）の中で、その推理を紹介した。それを、簡単に説明しておこう。

史学界が「『古事記』偽書説はもはや通用しない」と高をくくっているのは、特殊仮名遣いをめぐる問題が偽書説に不利に働いているという根拠からだ。

上代において、特に歌謡は日本語の音（カナ）を漢字に宛《あ》てて表記していた。これを万葉仮名という。また、現代人と上代人を比べると、上代人は多くの「音韻」を使い分けていた。そして、その音の違いを、異なる漢字を用いて表現していた。すなわち、次の仮名「エキケコトソノヒヘミメヨロ」それぞれに、二種類（甲類、乙類に分けられる）の漢字が用意されていたのだ。これを、特殊仮名遣いと呼んでいる。時代を経るに従い、これらの区別はあいまいになっていく。平安時代に残ったのは「コ」だけで、その他は消滅してしまう。ここに、大きな意味が隠されている。

そして、ここに掲げなかった「モ（毛と母にかき分ける）」が、大きな意味を持っている。『万葉集』（八世紀後半）や『日本書紀』は、「モ」を甲乙に色分けしていない。ところが、『古事記』は、使い分けをしていたのだ。したがって、特殊仮名遣いから、『古事記』は『万葉集』よりも古い時代に書かれたものだと、『古事記』偽書説を否定する人々は、勝ち誇ったように言うのである。

これに対し、大和岩雄は、次のように反論する。すなわち、平安時代のすべての人間が、特殊仮名遣いを忘れてしまったのではなく、一部の知識人は、「モ」の使い分けを忘れていなかったのではないか、というのである。

もちろん、「それは憶測にすぎない」と、言われれば終わりである。しかし大和岩雄は、次のように反論する。

『日本書紀』が区別していなかった「ト」の特殊仮名遣いを、『日本書紀』よりもあとに編まれた『万葉集』が、正確に使い分けていて、その理由を現代の国文学者たちは、一流の知識人だった万葉歌人や『万葉集』の編者は、すでに過去のものとなっていた「ト」の使い分けを知っていたに違いない、と主張している。大和岩雄は、『万葉集』の編者が過去の特殊仮名遣いを知っていたというのなら、なぜ『古事記』の編者にはあてはめてならないのか、納得できないと言う。たしかに、これは不公平だ。

さらに大和岩雄は、特殊仮名遣いは『古事記』偽書説にむしろ有利な材料だという。「モ」を『日本書紀』も『風土記』(八世紀前半)も、混用していて、正確ではない。ところが『古事記』の「モ」の使い分けは完璧《かんぺき》なのだ。それはなぜかと言えば、序文で「『古事記』は和銅五年に成立した」と嘘《うそ》をついたために、本文を極力古くみせかける必要に迫られ、知識を駆使して、正確な仮名遣いを心がけたに違いない、というのである。

『古事記』をめぐる単純な謎

ならば、『古事記』は誰が、いつ、何を目的に編纂したのだろう。大和岩雄は、多《おお》氏が、『新撰姓氏録』の記事に不満を抱いたからではないか、と推理する。古い『古事記』=「原『古事記』」の記事を『新撰姓氏録』が無視したために、「原『古事記』」を元にして、『古事記』を編纂し直したというのだ。

どういうことか、説明しよう。ヒントを握っているのは、『弘仁私記《こうにんしき》』である。

『弘仁私記』は、弘仁四年（八一三）に行なわれた『日本書紀』講筵《こうえん》（『日本書紀』の内容を解説する授業）の訓詁《くんこ》（字句の解釈）を記録したものだ。『日本後紀《にほんこうき》』によれば、この時講義を行なったのは多人長《おおのひとなが》だったという。したがって、『弘仁私記』も、多人長が記録した可能性が高い。

『弘仁私記』が奇妙なのは、『日本書紀』の講義を採録するのが目的であるはずなのに、なぜか『古事記』がどのように編纂されたのか、『古事記』序文とそっくりな話が記載されていることなのだ。しかも、太安万侶が、神八井耳命《かむやいみみのみこと》の末裔《まつえい》であったことを強調している。

ちなみに、太安万侶の「太」は、「多」と同じで、太氏は多氏である。

ところで、多人長は『弘仁私記』の中で、『新撰姓氏録』を罵《ののし》っている。『新撰姓氏録』は、古代氏族の出自を明確にするために造られた系譜を記した文書で、延暦《えんりゃく》十八年（七九九）に編纂が始まり、弘仁六年（八一五）に完成している。『古事記』の多氏にまつわる系譜は、『新撰姓氏録』と異なるのだから、多人長は、『新撰姓氏録』の記事に不満を抱き、多氏の正統性を世に訴えるために『古事記』を編纂し、多人長が主張したかった系譜を付け足していたと大和岩雄は言う。

大和岩雄は、『古事記』にはいくつも種類があったと指摘している。そして『新撰姓氏録』が『日本書紀』の系譜を尊重し、古くから存在していた「原『古事記』」を無視したために、平安初期、多人長が新たに『古事記』を編み、これが現存『古事記』になったとする。つまり、序文を添えることによって、『日本書紀』編纂の直前にこの文書が成立していたと偽装していたことになる。また、のちに触れるように、『古事記』編纂には新羅系の渡来人が関与していたという。

筆者は大和岩雄の推理に魅力を感じる。

『古事記』は、「『日本書紀』と外交姿勢が異なる」という、根本的な矛盾を抱えていたのだ。この謎を放置し、無視したまま『古事記』偽書説を笑殺する史学界の発想は、硬直している。「『古事記』を語ることは、いまだにタブーなのだ」とでも言いたげである。

やはり『古事記』には、まだ解かれることのない謎が隠されているのである。

そこで筆者は、少し違った角度から、『古事記』偽書説を考える。それは、前書きで述べた、「なぜ『古事記』は、中途半端な場面で、歴史記述をやめてしまったのか」という、予備知識なく『古事記』を読めば、誰もが感じる、単純な謎に端を発している。

そこで、『古事記』本文の顕宗《けんぞう》天皇をめぐる謎を追ってみよう。くどいようだが、顕宗天皇の説話が、『古事記』最後の歴史記述ということになる。『古事記』編者が後世に残したかった歴史は、これで終わってしまうのである。

まず『古事記』は、顕宗天皇の段で、伊弉本別王《いざほわけのみこ》（履中天皇《りちゆう》）の子が市辺之忍歯王《いちのへのおしはのみこ》（『日本書紀』には市辺押磐皇子《いちのべのおしはのみこ》の名で登場する）で、市辺之忍歯王の子が袁祁之石巣別命《をけのいわすわけのみこと》（顕宗天皇）であるという系譜を掲げ、近飛鳥宮《ちかつあすかのみや》（大阪府羽曳野《はびきの》市飛鳥）で八年間天下を治めたといい、結婚したが子は生まれなかったと記録する。

そのあとに、三つの説話を載せるのだが、背後に複雑な事情が隠されているので、話は顕宗天皇の父・市辺之忍歯王の従兄弟《いとこ》にあたる安康《あんこう》天皇の時代まで、溯《さかのぼ》らなければならない。どういうことかというと、安康天皇が暗殺され、その隙《すき》に、本来皇位継承候補ではなかった弟が、周囲の皇族や取り巻きの豪族たちをなぎ倒し、玉座《ぎよくざ》を奪ったのだ。これが雄略《ゆうりやく》天皇である。

この過程で、顕宗天皇の父は、犠牲になり、顕宗天皇と兄は、ヤマトから逃げて零落してしまうのである。

その経緯を、『古事記』の記事から追ってみよう。多くの悲劇を産み出したきっかけは、安康天皇の時代のひとつの「ウソ」がきっかけだった。

石上《いそのかみ》の穴穂宮《あなほのみや》（奈良県天理《てんり》市）で穴穂御子《あなほのみこ》（以下、安康天皇）は、天下を治めていた。安康天皇は弟の大長谷王《おおはつせのみこ》（のちの雄略天皇）のために、大日下王《おおくさかのみこ》（安康天皇と雄略天皇の父・允恭《いんぎよう》天皇の異母兄弟に当たる）の元に根臣《ねのおみ》（坂本臣《さかもとのおみ》の祖で、建内宿禰《たけのうちのすくね》の末裔）を遣わし、大日下王の妹・若日下王《わかくさかのみこ》を大長谷王と結婚させたいと伝えさせ、妹を差し出すように要求した。これを聞いた大日下王は拝礼して、次のように述べた。

「このような勅命《ちよくめい》があるかと思い、妹を大切に育てて参りました。命令に従い、さし上げましょう」

ただ、言葉で申し上げるのも無礼と思い、妹からの贈り物として、押木《おしき》の玉縵《たまかずら》を献上しようと考えた。ところが受け取った根臣は、その玉縵を盗み、挙げ句の果てに、次のように報告した。

「大日下王は命令を受け入れず、自分の妹を同等の者の下に敷く（妻とする）ことなどできようかといい、大刀の柄を握り、怒りました」

讒言《ざんげん》（ウソの報告）である。天皇はこの言葉を信じ、大日下王を殺し、その正妻・長田大郎女《ながたのおおいらつめ》を皇后にして迎え入れたのだった。

長田大郎女には連れ子があった。もちろん、大日下王の子で、名を目弱王《まよわのみこ》といった。しばらくたってからの話だ。安康天皇は七歳の目弱王が建物の床下で遊んでいるのも知らずに、長田大郎女に、次のように述べた。

「私はつねに心配している。それは、お前の子の目弱王が大人になったとき、私が父親を殺したことを知り、背くことになるのではないかと」

　これを聞いてしまった目弱王は、天皇が寝ているのを見はからい、そばにあった大刀をとり、安康天皇の首を切り落としてしまい、都夫良意富美《つぶらおおみ》（円大臣《つぶらのおおおみ》。この当時最大の勢力を誇っていた葛城氏《かつらぎ》）の館に逃げ込んだのである。

針間国《はりまのくに》（播磨国《はりまのくに》）に落ち延びた意祁王《おけのみこ》・袁祁王《をけのみこ》

　大長谷王は、この時まだ童男《おぐな》（少年）であったが、兄が殺されたことを知り、腹立たしく思い、同母兄の黒日子王《くろひこのみこ》を訪ね、どうするべきかを問いただした。けれども黒日子王はすました顔をして、なにもしようとはしなかった。大長谷王は兄を罵り、襟《えり》首《くび》を摑《つか》み、剣を抜いて刺し殺した。また、その兄の白日子王《しろひこのみこ》のもとに行き、同じ質問をぶつけた。すると同じように、生煮えだった。大長谷王は、飛鳥の小治田《おはりだ》（奈良県高市郡明日香村《たかいちあすか》の甘樫丘《あまかしのおか》の北側）に連れて行き、穴を掘り、立ったまま埋めると、目玉が飛び出し亡《な》くなってしまった。

　さらに、兵を挙げ、都夫良意富美の館を囲んだ。都夫良意富美は、大長谷王に対して、次のように述べている。

「臣下の者が王子や諸王の宮に身を寄せたという話は、過去にありますが、王子が臣下の館に助けを求めたなどという話は、聞いたことがありません。身分の賤《いや》しい私がいくら抵抗しても、勝てるわけがありません。けれども、賤しい私を頼ってこられた王子を見捨てるわけにはいきません」

こうして追い詰められた都夫良意富美は目弱王を刺し、自害して果てたのである。

さて、ここで、ようやく顕宗天皇の父親・市辺之忍歯王の話につながっていく。

近江《おうみ》の佐々《さ さ》紀山君《きのやまのきみ》の祖・韓袋《からぶくろ》が大長谷王に、次のように申し上げた。

「近江の久多綿《く た わた》(滋賀県蒲生《がもう》郡)の蚊屋野《か や の》には、猪《いのしし》や鹿《しか》が群生しています。足は林立し、角は枯れ松のようです」

そこで大長谷王は、市辺之忍歯王を伴って、近江に行かれ、各々が仮宮《かりみや》を造って宿にした。翌朝、まだ陽の昇らないうちに、市辺之忍歯王は馬に乗りながら、大長谷王の仮宮の脇《わき》に来て、大長谷王のお供の人に、次のように告げた。

「まだ、お目覚めにならないのですね。早く申し上げよ。夜はすでに明けました。狩り場にお出まし下さい」

そう言い残して、市辺之忍歯王は馬を進めた。すると大長谷王の身の回りの人たちは、事実にないことを報告した。

「いやなことを言う王子です。お気をつけ下さい。しっかり武装するべきです」

そこで大長谷王は服の内側に甲《よろい》を着込み、弓矢を佩《は》き、馬に乗って出かけ、あっという間に市辺之忍歯王を射殺《いころ》してしまった。その体を斬って、馬の飼《か》い葉桶《ばおけ》に入れて土に埋めた。盛土をしないで、どこに埋めたか分からないようにした。

市辺之忍歯王の子供、意祁王と袁祁王は、父の死を知り、逃げ去った。山代《やましろ》（山城《やましろ》。山背《やましろ》。京都府南部）の刈羽井《かりはい》（未詳）に至って食事をしていると、顔に入墨をした老人がやってきて、食べ物を盗った。兄弟は、

「食べ物は惜しくない。しかし、お前は誰だ」

と問いただすと、

「私は山代に住んでいる朝廷の猪甘《いかい》（猪飼い。豚を飼う部民《べみん》）である」

と答えた。

それで玖須婆之河《くすばのかわ》（淀川《よどがわ》の渡し場。大阪府枚方市《ひらかたし》楠葉《くずは》。のちにここに継体天皇《けいたいてんのう》が宮を置いたことで知られる）を渡って、針間国（兵庫県南西部）に至り、その国の人で、名は志自牟《しじむ》なる者の家に入り、身を隠し、馬飼い、牛飼いの牧童《ぼくどう》となって働いた（公役《くやく》にあたった）。

こうして、意祁王と袁祁王は、零落していったのである。

たまたま発見された意祁王・袁祁王

なんとも、因縁を帯びた話である。臣下の讒言が、幾重《いくえ》にも重なって、悲劇はくり返されたのだ。

大長谷王（以下雄略天皇で統一する）亡き後、子の白髪大倭根子命《しらかのおおやまとねこのみこと》（清寧天皇《せいねい》）が即位したが、子が絶えた。「皇后無《おほきさきな》く、亦《また》、御子《みこ》も無し」と『古事記』は言い、皇位継承候補がいなかったという。

清寧天皇が亡くなると、市辺之忍歯王の妹・忍海郎女《おしぬみのいらつめ》（またの名を飯豊王《いいどよのみこ》という）を葛城の忍海《おしぬみ》（奈良県葛城市忍海《おしみ》）の角刺宮《つのさしのみや》にお迎えした。正式には認められていないが、女性天皇が即位していた可能性が高い。異常事態だったことは、たしかだ。飯豊王は独身で、子がなかったから、王家断絶、国家存亡の危機と言っても過言ではなかったのだ。

そんなおりもおり、意祁王と袁祁王が、発見されたのだ。経緯は、以下の通り。

山部連小楯《やまべのむらじおだて》（山部連は山部を管掌する人々。山林を管理し、山の産物を貢上した）が針間国の宰《みこともち》として赴任したとき、志自牟が新築祝いをしているところだった。宴たけなわで、位の高い者から順に舞った。そして、賤しい火を焚《た》く少年がふたり、竈《かま》の脇にいたので、舞わせた。兄弟が互いに譲り合うのを見て、一同、どっと笑った。ついに、兄が舞い、弟が舞おうとするその時、「物部《もののふ》の　我《わ》が夫子《せこ》が　取り佩《は》ける……」と、歌を詠《よ》み始めた。意味は、次のようなものだった。

もののふ（武人）である私の君が佩く（腰に着ける）大刀の柄に、丹《に》（赤土）を塗り、下《さ》げ緒《お》には赤い布をつけ、赤幡《あかはた》（軍旗）を立ててみれば、幾重にも重なる山の峰の竹を刈り取り、先端をおしなびかすかのように、八紘《やつお》の琴（弦の多いむずかしい琴）を自在に奏でるように、天の下を治められた伊邪本和気《いざほわけ》天皇（兄弟の祖父・履中天皇）の御子・市辺之忍歯王の、今は落ちぶれ奴《やっこ》となった子孫です……。

これを聞いた山部連小楯は仰天し、床から転げ落ち、そこにいた人たちを追い出し、二柱の王子を左右のヒザの上に乗せ、泣き悲しみ、人を集めて仮宮を建て、都に向けて早馬を出して知らせた。

飯豊王は喜び、二王子を宮（角刺宮）に呼び寄せたのだった。

こうして、二王子が天下を治めることになるが、その直前、事件が起きている。袁祁王が求婚している女性をめぐって、志毘臣《しびのおみ》（平群臣《へぐりのおみ》の祖で、建内宿禰の末裔）と歌《うた》垣《がき》の場で争ったのだ。志毘臣は二王子に反抗的だった。朝廷の官人たちも、午前中は朝廷に参内したが、午後は志毘臣の家に集まったから、油断ならなかった。そこで二王子は、志毘臣の家を急襲し、殲滅《せんめつ》したのである。

このののち、弟の袁祁王が先に皇位に就くが、それは、兄の意祁王は袁祁王が針間（播磨）で名前を名乗ったおかげで戻ってこられたのだから、手柄は弟にあると言い、皇位を譲ったのだった。

顕宗天皇の復讐《ふくしゅう》と溜飲《りゅういん》

こうしてようやく、清寧天皇の時代の話は終わり、顕宗天皇の段へと進んでいく。またくどいようだが、この天皇の記事が、『古事記』の最後の歴史記述となる。ここから先は、袁祁王ではなく、名を顕宗天皇で統一しておく。

さて、顕宗天皇の段は、三つの説話からなると説明しておいたが、まず最初の説話は、父親探しである。

顕宗天皇は父・市辺之忍歯王の遺骨を探された。例の、見つからないように土盛りをしなかった墓である。

　すると近江国の身分の賤しい老女が参上して、

「埋めた場所は、私だけが知っています。王子《みこ》の遺骨かどうかは、歯を御覧になれば、知れましょう」

　と述べた。市辺之忍歯王の歯は、八重歯《やえば》だったのだ。

　そこで人を集めて、掘り返し、遺骨を手に入れた。蚊屋野の東側の山に御陵《ごりょう》を造り、丁重に葬《ほうむ》り、韓袋の子孫に守らせた。そして、遺骨を持って、河内《かわち》に帰られた。

　また、老女を召し出し、褒めあげ、置目老媼《おきめのおみな》と名づけ、召し抱えた。ただ、その後置目老媼は「年老いました」と述べ、帰郷したのだった。

　第二の説話は、復讐だ。

　顕宗天皇が針間に逃れる直前、山代で食べ物を盗まれる事件があった。その猪甘の老人を捜し出し、召し出し、飛鳥河の河原で斬り殺し、一族の者のヒザの筋を切った。それゆえ、彼らの子孫はヤマトにやってくると、うまく歩けなくなるのだ。そして、子孫たちに、猪甘の老人のいた場所を、見させた。だからそこの土地を今、志米須《しめす》と言うようになったのだ、という。

　これで、ふたつめの説話は終わる。最後の説話は、「溜飲」とでも言うべきか。

さて、顕宗天皇は雄略天皇を深く恨み、その「霊」に報いたいと願った。そこで雄略天皇の御陵を破壊してしまおうと人を遣わした。

するると兄の意祁王は、次のように奏上した。

「この御陵を壊すために、他の人を遣わしてはなりません。私が赴き、天皇の思い通りに、壊して参りましょう」

顕宗天皇は兄の言葉を聞き、これに従った。そこで意祁王は御陵に向かい、脇にある土を少し掘って、帰ってきた。そして、「すでに壊して参りました」と報告した。あまりに早いので顕宗天皇は不思議に思い、「どのように破壊したのか」と問いただした。すると、意祁王は、「御陵の脇の土を少し掘りました」と、正直に答えた。顕宗天皇は、次のようにおっしゃった。

「父の敵をとるには、まず御陵を破壊し尽くすべきではないですか。なぜ、少しだけ掘ってやめてしまわれたのですか」

意祁王は反論する。

「その理由は、次のようなものです。たしかに、父の仇《かたき》を取り、霊に報いたいと思うなら、その方法が、理にかなっているでしょう。しかし、雄略天皇は父の怨敵《おんてき》ではありますが、いっぽうで父の従兄弟でもあり、天下を治めた天皇でもあります。ここに、ただ父の仇というだけで、天下を治められた天皇の墓を破れば、のちの人から誹《そし》られるでしょう。ただ、父の恨みは晴らさずにはいられません。だから、御陵の脇の土を掘りました。この辱《はずかし》めをもって、後の世に示すことができたのです」

するると顕宗天皇は、

「これもまた、大いに理にかなっていることです。意祁王の言葉どおりにしましょう」

とおっしゃったのだ。

こののち顕宗天皇が亡くなられると、意祁王が即位された。顕宗天皇の享年《きようねん》は三十八、天下を治められたのは八年という（『日本書紀』では治政は三年になっている）。御陵は片岡《かたおか》の石坏岡《いわつきのおか》（奈良県香芝《かしば》市北今市）の上にある……。こうして、顕宗天皇をめぐる説話は、幕を閉じるのである。

仁賢《にんけん》天皇の時代にも事件は起きていた

顕宗天皇のあとを受けて即位した意祁王＝仁賢天皇の段になると、突然『古事記』は歴史の記述をやめてしまう。唐突という言葉がふさわしい。なぜ、兄・仁賢天皇の治政には、無関心だったのだろう。いったいここに、どのような意味が隠されているのだろう。

仁賢天皇の時代に、記すべき事件がまったく無かったのかといえば、そのようなことはない。『日本書紀』には、次のような説話が載っている。

仁賢二年秋九月、顕宗天皇の皇后だった難波小野皇后《なにわのおののきさき》は、かねてより不敬な振る舞いに及んでいたので、自害なさったとあり、分注には、次のように記される。顕宗天皇の時代、皇太子で兄の意祁（『日本書紀』には億計《おけ》とあるが、意祁で通す）はとある宴で、瓜《うり》を食べようとしたところ、刀子《かたな》（小刀《かたな》）が無かった。そこで顕宗天皇が自分の刀子を取り、難波小野に預け、意祁に渡すよう命じた。すると難波小野は、立ったまま刀子を瓜の盛った盤（皿）に置いた。またこの日、お酌をするとき、立ったまま、皇太子を呼んだ。これらの不敬によって、殺されるのを恐れたため、自害した、というのである。

兄弟の仲は良かったのに、小姑《こじゅうとめ》とうまくいっていなかったということだろうか。あるいは、顕宗天皇に子がなかったことから、難波小野は、口惜しい思いをしていたのかもしれない。

仁賢六年秋九月、日鷹吉士《ひたかのきし》を高麗《こま》（高句麗《こうくり》）に遣わして、技術者を求めさせた。日鷹吉士は難波吉士《なにわのきし》と同族で、日鷹（紀伊国日高郡《きのくにひだかのこおり》）の渡来系豪族だ。水軍を擁し、外交に力を発揮した。「吉士」の姓を下賜された者は、外交で活躍することが多かった。

　同年この秋の条には、難波の津《つ》（港）で泣く女の話がある。日鷹吉士とともに海を渡った麁寸《あらき》の妻の飽田女《あくため》がひどく嘆き悲しんだという。

　この年に日鷹吉士は高麗から帰還し、技術者を連れてきた。翌年、小泊瀬稚鷦鷯《おはつせわかさざきの》尊《みこと》が皇太子になった。この人物が、のちに即位して武烈《ぶれつ》天皇となる。

　八年冬十月、百姓《おおみたから》が次のように述べた。

「このときに、国中は事件もなく、官吏《かんり》は適材適所で、天下に仁が広まり、民はそれぞれの生活に満足しています」

　この年、五穀豊穣《ごこくほうじょう》で、蚕《かいこ》、麦がよくとれた。平和で、戸口は繁栄した。

　十一年、仁賢天皇は亡くなられ、埴生坂本陵《はにゅうのさかもとのみささぎ》に葬られた……。これが、第二十四代仁賢天皇をめぐる『日本書紀』の記事だ。大きな事件はなかったが、『古事記』が顕宗天皇の時代に歴史記述を終わらせた意味を明らかにする材料がみあたらない。

なぜ『古事記』は継体天皇を描かなかったのか

古代史を解く上で、仁賢天皇崩御《ほうぎょ》のあとの政権の流転こそ、大問題である。なにしろ、第二十五代武烈天皇と、第二十六代継体天皇の間に、王朝交替があったのではないかと疑われるほど、大きな事件が続いたからである。

そこで、武烈天皇と継体天皇の事蹟を、簡単にふり返っておこう。

武烈天皇は不思議な人物だ。武烈紀の冒頭部分には、系譜に続けて、次のようにある。すなわち、成人すると刑罰の理非の判断を好んで行ない、法令に明るく、政務に明け暮れ、隠された冤罪《えんざい》も明らかにし、訴えを断じるに、道理にかなっていた……。と、ここまでは、英邁《えいまい》な君主のイメージだ。ところが、この直後、「又」のあとに、信じられない言葉が続く。

「また、しきりに諸悪をいたし、ひとつも良いことをしなかった。厳しい刑を言い渡し、処刑の場面をすべて御覧になった。国中の人々は、恐れ、震え上がった」

天皇家の歴史を飾るために記された『日本書紀』の中で、なぜ恐ろしい天皇が記録されたのだろう。

これだけでは終わらない。目を疑いたくなるような記事が続く。当時権勢を振るっていた平群氏を倒し、即位すると、暴虐《ぼうぎゃく》が始まったという。

武烈二年秋九月、妊婦の腹を割いて胎児を見た。三年冬十月、人の爪《つめ》を剝《は》がし、その手で山芋を掘らせた。四年夏四月には、人の髪を引き抜き、木に登らせ、木を切り倒して殺して喜んだ。五年夏六月、池に放り込んだ人が池の外に流れ出るところを三《みつ》又《また》の矛《ほこ》で串刺しにして喜んだ。また武烈天皇は酒池《しゅち》肉林《にくりん》に溺《おぼ》れ、人々が飢えと寒さに苦しんでいるときも、お構いなしだったという……などなど、猟奇的な事件が続くのである。

これらの記事は、中国の『列女伝《れつじょでん》』などから引用したもので、実際に起きていたわけではないとされている。ではなぜ、このような記事を残さなければならなかったかというと、武烈天皇亡き後即位した継体天皇が、王朝交替を成し遂げたからではないかと、考えられている。

『日本書紀』によれば、継体天皇（男大迹《おおどのすめらみこと》天皇）は、近江国の高島郡《たかしまのこおり》の三尾（滋賀県湖西地方北部）で生まれた。父の死後、母の故郷・三国《みくに》の坂中井《さかない》（福井県坂井《さかい》市三国町）で暮らしていた。

ヤマトでは、武烈天皇崩御ののち、大問題が持ち上がっていた。武烈天皇に子はなく、王統が途絶えようとしていたのだ。そこで、越《こし》に暮らしていた応神天皇五世の孫・男大迹王に白羽の矢が立った。

武烈天皇の行状に現実味は無く、あまりにも突飛だ。継体天皇の出自も怪しい。するとこの時、王朝交替は起きていたのだろうか。

近年考えられているもっとも有力な考えは、「入り婿《むこ》説」である。五世紀末の北陸地方が、急速に勢力を拡大していたこと、先進の文物を（ヤマトよりも早く）入手していたことから、ヤマトもこの地域の首長を無視できなくなったこと、継体天皇が仁賢天皇の皇女（娘）・手白香皇女《たしらかのひめみこ》を正妃に迎え入れている事実が重視され、もし仮に『日本書紀』の言うように、継体天皇が応神天皇五世の孫ではなかったとしても、継体はヤマトの王家に婿入りする形で、旧王家を継承したのではないかと考えられている。

筆者は、「入り婿説」を半分支持している。継体天皇は畿内の旧政権に合流することによって、平和裡《り》に、政権交替を果たしたのだろう。ただし、継体天皇は応神天皇の末裔で、ヤマトの王家とは遠い姻戚関係にあったと見る。つまり、王朝交替が起きていたのではなく、ヤマトの王家の枝族が、王に担《かつ》ぎ上げられたとみる。ただし、なぜそう考えるのか、ここでは割愛する（詳細は『消えた出雲と継体天皇の謎』学研）。それよりも大切なことは、継体天皇即位をめぐる経緯を記事にしなかった『古事記』の態度である。

「継体天皇の登場」は、古代史を揺るがす大事件であった。それにもかかわらず、『古事記』はその直前、顕宗天皇と仁賢天皇の兄弟の真ん中で、話を中断してしまったのだ。ここには、何かしらの意図があったとしか思えないのである。

いったい『古事記』編者は、この「話を恣意《しい》的に中断すること」によって、何を後世に伝えようとしたのだろう。

『古事記』最大のテーマは顕宗天皇と仁賢天皇

極論すれば、『古事記』最大のテーマは、顕宗天皇と仁賢天皇（意祁王と袁祁王）だったのだ。彼らが針間（以下播磨）に落ち延び零落したあと復活した、その一連の事件を描写することに全精力を注いだのではないだろうか。

五世紀末に起きていた王家の復活と継続こそ、『古事記』が後世に残したくてたまらなかった事実で、この意図を強調するために、顕宗天皇の時代に、歴史の記録をやめてしまったように思えてならない。そうでなければ、『古事記』は未完の歴史書ではないか。

けれども、なかなか難しい問題である。漠然としていて、つかみ所がない。ヒントはわずかだ。雄略天皇との確執、それから、意祁王と袁祁王が播磨に逃げたこと……。

それから、『日本書紀』と『古事記』の差を考えるべきかもしれない。本居宣長《もとおりのりなが》は、「漢意《からごころ》と大和心《やまとごころ》」を最大の差にあげたが、それは表現方法の違いであって、歴史書が政治的な背景を背負って生まれたと考える立場からは、あまり重視したくない。やはりひっかかるのは、『古事記』が「親新羅」にこだわっていることだ。これは、あまりにも不自然なことだからである。

すでに述べたように、八世紀に藤原氏が権力を握ってからあと、朝廷は新羅に冷淡だった。だから、「親百済」を標榜する『日本書紀』が、朝廷の正式見解として、守られつづけたのである。とすれば、『古事記』の主張は、「反骨」とみなすことも可能なのだ。「親新羅」を主張することは、『古事記』編者の意地だったのかもしれない。ところで『古事記』偽書説を唱え続ける大和岩雄は、『古事記』を編んだのは多氏だと推理していたが、そのいっぽうで、新羅系渡来人・秦氏も深くかかわりを持っていたと指摘した。

それはなぜかというと、まず多氏と秦氏が強く結ばれていたからだ。能楽《のうがく》の世阿弥《ぜあみ》が秦河勝《はたのかわかつ》の末裔（母方が秦氏。父方も秦氏の枝族・服部《はつとり》氏とつながる）であったように、秦氏は歌舞音曲と深く結びついた一族であった。宮廷の雅楽《ががく》を仕切っていた多氏とは、芸能の分野で深くつながっていたのだ。

宮廷の楽人《がくにん》たちはみな渡来系だったが、多氏は神代から続く名家として、彼らを統率していた。秦氏はその配下で活躍していたのだ。秦氏は四天王寺《してんのうじ》の楽人としても有名だが、「散所楽人《さんじょがくにん》」（「散所」は年貢《ねんぐ》を免除された土地。差別される人々の集住地）として、差別を受けもした。また、多氏が伝えた秘曲は、秦氏に相伝されたという。両者の結びつきは深く、堅い。

『古事記』編纂に多氏が大いにかかわっていたとしても、なぜ親新羅だったのか、大きな謎が残った。しかし、秦氏も関与していたとすれば、謎はなくなる。

播磨とつながっていた新羅

ならば、新羅と顕宗天皇と播磨は、どうやって結びついてくるのだろう。

そこで、播磨に注目すると、興味深い事実に行き着く。

まず、『播磨国風土記《はりまのくにのふどき》』の記事に注目してみる。すると、播磨と新羅の間に接点が見出せるのである。

たとえば、揖保郡粒丘《いいぼのこおりいいぼおか》の地名説話に、アメノヒボコ（天日槍《あめのひぼこ》、天之日矛《あめのひぼこ》）が登場する。アメノヒボコは新羅王子で、『日本書紀』によれば、垂仁《すいにん》天皇の時代、聖皇《ひじりのきみ》＝崇神《すじん》天皇を慕って来日したという。播磨国、近江国、若狭《わかさ》国を経由し、但馬《たじま》国に移り、ここに住みついたという。『古事記』の応神天皇の段には、「その昔」アメノヒボコは妻の阿加流比売神《あかるひめのかみ》を追いかけて、来日したとある。

それはともかく、『播磨国風土記』粒丘の話は、以下の通り。

アメノヒボコが「韓国《からくに》」から渡来し、宇頭《うず》の河口（揖保《いぼ》川）にやってきたとき、アシハラノシコオ（葦原志挙乎命《あしはらしこおのみこと》。『古事記』によれば、出雲神《いずもしん》・大国主神《おおくにぬしのかみ》の別名）に、次のように願い出た。

「あなたは国主《くにぬし》（土地の主）なのだから、私に宿る場所を譲ってくれないだろうか」

するとアシハラノシコオは、「海の中ならば」と、意地悪なことを言う。そこで客《まれびと》の神《かみ》（アメノヒボコ）は、剣で大海原をかき混ぜ波を造って、そこに座った。主《あるじ》の神《かみ》（アシハラノシコオ）は、アメノヒボコの武勇を恐れ、先に国を独り占めしようと、粒丘に登り食事をした。この時口から飯粒《いいぼ》（米粒）が落ちたので、粒丘と名付けられた。

同書宍禾郡《しさわのこおり》奪谷《うばいたに》の段にも、よく似た話がある。アメノヒボコとアシハラノシコオは谷を奪い合った。だから、この地は奪谷という地名になったという。

まだまだ、アメノヒボコは『播磨国風土記』に説話を残す。アメノヒボコが「八千《やち》軍《ぐさ》（大軍）」を率いていたという話もある。

播磨国は砂鉄の産地で、これらの説話は、アメノヒボコと出雲神が砂鉄の利権をかけて争ったことを意味しているようだ。

問題は、アメノヒボコのみならず、出雲も、新羅とは深くつながっていたことである。

『出雲国風土記《いずものくにのふどき》』には、有名な国引き神話がある。新羅の余った土地を引っ張ってきて出雲につなげたという。『日本書紀』の神話の一書は、出雲神の祖・スサノオ（須《す》佐之男《さのお》、素戔嗚神《すさのおのかみ》）は、最初新羅に舞い下り、その後日本列島に渡ったと記録する。

出雲の対岸が新羅だから、両者は古くから交流があったのだろう。

『播磨国風土記』のもうひとつの特徴は神功皇后伝説《じんぐうこうごう》で満ちあふれているということだが、神功皇后はアメノヒボコの末裔で、神功皇后の子・応神天皇も、新羅系渡来人の祀《まつ》る八幡神《はちまんしん》と習合している。

なにやら、播磨と新羅は、目にみえぬ糸でつながっていたかのようだ。

アメノヒボコが伝承を残す地には、神功皇后伝説が重なっていることが多いのだが、いっぽうで、新羅系渡来人・秦氏の集住地も、重なっている。アメノヒボコ伝説の宝庫だった播磨にも、秦氏は住んでいた。

このように、新羅と顕宗天皇は播磨でつながり、播磨には新羅系渡来人・秦氏が集住していたのである。

秦氏が『古事記』編纂にかかわっていた証拠

『古事記』の歴史記述が顕宗天皇の時代に終わっていたのはなぜか……。顕宗天皇の兄弟は幼かったころ播磨に落ち延びたが、播磨といえば、アメノヒボコや神功皇后といった、新羅と縁の深い人々の伝説が濃厚に残されていたのだ。そして、新羅系豪族、秦氏の集住地帯でもあった。

すでに触れたように、大和岩雄は『古事記』編纂に秦氏がかかわっていたといい、筆者は、秦氏と播磨のつながりに注目する。この関係の中に、『古事記』の謎を解く鍵《かぎ》が隠されていたのではないかと考える。

そこで、まずはっきりさせておきたいのは、秦氏が『古事記』にかかわっていた証拠がどこにあるのか、ということである。

たとえば、「大年神《おおとしのかみ》の系譜」がある。『日本書紀』には無かった大年神の系譜が、『古事記』にのみ、記録されている。大年神らは、秦氏の祀る神である。

『古事記』の大年神の記事は、以下の通り。

速須佐之男命《はやすさのおのみこと》（スサノオ）が出雲国の肥《ひ》の河上《かわかみ》（斐伊川《ひいかわ》）で八岐大蛇《やまたのおろち》を退治したあと、須賀《すが》（島根県雲南市大東町《うんなんだいとう》）に宮を建てたという記事につづき、産まれ落ちた子供たちの名が記録されている。その中に、大山津見神《おおやまつみのかみ》の娘の神大市比売《かむおおいちひめ》を娶《めと》って産まれた子が大年神だったとある。稲の稔りを司る神である。

そして、スサノオの子孫である大国主神が国造りを終えた場面で、大年神が産み落とした子供や孫たちが名を連ねる。しかも、この筆頭に名を挙げられた大国御魂神《おおくにみたまのかみ》を除く子や孫たちは、すべて秦氏と関係する神々なのである。

秦氏の祀る神が『日本書紀』には載らず、『古事記』にのみ記載されていることは、もっと注目されていい。

宮島弘は昭和十九年（一九四四）、「古事記は山城国《やましろ》葛野郡《かどの》で書かれた」（「国語・国文」十四巻九号）という論文を発表していて、『古事記』編纂に、葛野郡の松尾社《まつおしゃ》の神官がかかわっていると、指摘している。この一帯は、秦氏の地盤である。

なぜそのような推理を働かせたかというと、本来なら「山代国葛野之松尾」と書くべきところを、『古事記』は「葛野之松尾」とのみ書き、「山代国」を省略していること、『古事記』の他の箇所にこのような省略はなく、なぜ「葛野之松尾」だけ、国名を省いたのかというと、『古事記』の編者が葛野にいたためではないかと指摘している。

先述した中沢見明もやはり、『古事記論』の中で、葛野地方の鴨《かも》社か松尾社どちらかの神官が、『古事記』の編者だったのではないかと疑っている。どちらも、秦氏と強く結ばれた神社だ。

葛野の松尾大社（京都市西京区）は、背後の松尾山の神を祀る。秦氏がこの地に移住する以前からの古い磐座《いわくら》遺跡が残り、秦氏が社殿を建て、大山咋神《おおやまくいのかみ》を氏神《うじかみ》として祀るようになった。一帯は秦氏が開墾した集住地帯であった。だから、『古事記』が「葛野之松尾」のあたりで書かれていたとすれば、意味はけっして小さくない。

大和岩雄は『秦氏の研究』（大和書房）の中で、『古事記』が聖典とされていた戦前に、葛野地方の人脈が『古事記』に深くかかわっていたと指摘した先の論文を高く評価し、「山城国葛野地方の主権者秦氏と、『古事記』の関係は否定できない」と言い、

古い信仰に重なっていった秦氏の松尾大社

次のように述べる。

大年神の系譜に、秦氏にかかわる神々が入っていること。特にこの系譜が『古事記』にのみ載っていることからみて、『古事記』と秦氏の関係は無視できない。

とするが、大和岩雄が考える以上に、秦氏と『古事記』は強く結ばれていたのではないかと筆者は勘ぐっている。なぜなら、『古事記』が顕宗天皇の時代で歴史記述を唐突に中断してしまったのは、秦氏の恣意的な行為と思えてならないからである。

　いずれにせよ、『古事記』の謎を解く鍵を握っていたのは、秦氏である。

秦河勝も播磨に逃げていた

そこで少し、秦河勝について考えておきたい。

秦氏は新羅系（新羅伽耶《かや》系）渡来人で、血縁で結ばれていたわけではない。朝廷の都合で、擬制的に結びついた人々だ。だから、アメーバのようにつかみ所がない。膨大な数の民と広大なネットワークを抱え、人々の暮らしを豊かにし、また秦氏自身も巨万の富を蓄えながら、その一方で歴史に名を残す人物は少なかった。彼らは、中央政界で高い地位を獲得することができなかった。

欽明《きんめい》天皇の時代に秦大津父《はたのおおつち》が欽明天皇に寵愛《ちょうあい》されたことが『日本書紀』に記されるが、だからといって、誰もが知る人物ではない。秦河勝が、唯一《ゆいいつ》の有名人と言っても過言ではない。京都太秦《うずまさ》の広隆寺《こうりゅうじ》を建立したのが、この人物である。

ただ、かろうじて名を知られる秦河勝でさえ、『日本書紀』にはほとんど記事がない。聖徳太子に寵愛されたという話は、じつは『日本書紀』には出てこないのだ。

秦河勝と聖徳太子の関係を暗示する記事ならある。推古三十一年（六二三）七月条に、新羅からもたらされた仏像が、葛野の秦寺《うずまさでら》（広隆寺）に収められたという話が

秦河勝が建立した広隆寺

あるが、秦河勝は登場しない。

『日本書紀』の中で秦河勝にまつわる記事でもっとも有名なのは、皇極《こうぎょく》三年（六四四）七月条だ。東国の不尽河《ふじのかわ》（富士川）のほとりの人・大生部多《おおふべのおお》が邪教《じゃきょう》を広めていたので、秦河勝が成敗したとある。これが、秦河勝の最後の記事になった。秦河勝が、このの ちどこで、いつごろ亡くなったのか、『日本書紀』は記録していない。

ちなみに、皇極三年は、上宮王家《じょうぐうおうけ》滅亡事件の翌年で、乙巳《いっし》の変（六四五）の蘇我入鹿《そがのいるか》暗殺の前年のことだ。

秦河勝はどこに消えたのだろう。どうやら、播磨に向かったらしい。それが分かるのは、播磨の大避《おおさけ》神社（兵庫県赤穂《あこう》市坂越《さこし》）周辺に語り継がれ、秦河勝の末裔・世阿弥が記録していたからである。

のちにふたたび詳しく触れるが、世阿弥は『風姿花伝《ふうしかでん》』のなかで、秦河勝が摂津《せっつ》の国の難波《なにわ》の裏から、うつほ舟に乗って播磨にたどり着いたこと、この地で神と崇《あが》められるようになったと伝えている。

坂越一帯にも同様の伝承が残されている。秦河勝がこの地にやってきたのは皇極三年（六四四）のことだったというのだ。また江戸時代の地志『播磨鑑《はりまかがみ》』は、皇極二年（六四三）に「蘇我入鹿の乱」を避けてこの地にたどり着いたといい、秦河勝はこの地で亡くなり、神社正面の生島《いきしま》に葬られ、神として祀られたという。

ここに言う「蘇我入鹿の乱」とは、上宮王家滅亡事件のことで、秦河勝は山背大兄王《やましろのおおえのみこ》と昵懇《じっこん》の間柄にあって、蘇我入鹿に妬《ねた》まれ、播磨に逃げる羽目に陥ったというのである。

意祁王・袁祁王を救ったのは秦氏だった？

秦河勝の播磨への逃避行の原因が上宮王家滅亡事件だったという話、信用できない。聖徳太子も山背大兄王も、蘇我氏を悪人に仕立て上げるための虚像に過ぎないと、筆者は考える（『蘇我氏の正体』）。したがって、上宮王家滅亡事件も、『日本書紀』のでっち上げだろう。聖徳太子の大勢いた子や孫が、一度に蒸発するように消えてしまったのは、元々この世に存在しなかったからだ。蘇我氏が自らの悪行によって、滅亡するという勧善懲悪《かんぜんちょうあく》の構図を造るために利用され、いなくなっただけの話である。

そうなると、秦河勝が「蘇我入鹿の乱」で、播磨に逃れたという話、いったい何を意味していたのだろう。

拙著『伏見稲荷《ふしみいなり》の暗号　秦氏の謎』（講談社）の中で、蘇我入鹿暗殺の実行犯は秦河勝だったと指摘した。そして事件ののち、播磨に逃れ、身を潜めたと考える。

もし『日本書紀』の言うように、山背大兄王が実在して、『播磨鑑』の記述のように、秦河勝が上宮王家滅亡事件のとばっちりを受けて播磨に逃げ、しかも『日本書紀』の言うように、蘇我入鹿暗殺後の新政権が「反蘇我派の政権」だったとすれば、秦河勝は大手を振って都に帰ってきたはずだ。しかし、そうはならなかったのだから、もっと別の発想を持たなければならない。

『日本書紀』は、蘇我入鹿ら蘇我本宗家《ほんそうけ》の滅亡後新政権が誕生したと言うが、これも疑わしい。孝徳《こうとく》天皇が親蘇我派の皇族で、門脇禎二《かどわきていじ》が指摘するように、蘇我氏の政策を継承していた可能性が高いからだ（『「大化改新」史論』思文閣出版）。

そこで、筆者は、次のように考える。

「秦河勝は蘇我氏の断行しようとしていた改革事業を潰《つぶ》すために蘇我入鹿を殺した。しかし、孝徳天皇が蘇我氏の遺志を継承したから、都に戻ることはできなかった」

すなわち、山背大兄王は虚像なのだから、播磨に伝わる「蘇我入鹿の乱」が、何かしらの事件を指しているのなら、秦河勝による蘇我入鹿殺しを想定せざるをえないのである。

秦河勝の播磨への逃避行の時期について、皇極二年（六四三）と皇極三年（六四四）の二つの言い伝えがあるが、乙巳の変の直前まで秦河勝は畿内で活躍していたと『日本書紀』は記録する。おそらく播磨の伝承は、「秦河勝が蘇我入鹿を殺した」という史実を抹殺するために、話がねじ曲げられたということだろう。

それにしても、なぜ秦河勝の播磨逃避行に注目するのかというと、「意祁王と袁祁王が播磨に落ち延びた理由を、秦氏は知っていた」のであり、「意祁王・袁祁王の兄弟の真ん中で『古事記』が話をやめてしまったのは、秦氏の仕業」ではないかと思えてならないからである。

直木《なおき》孝次郎《こうじろう》は『直木孝次郎古代を語る6　古代国家の形成』（吉川弘文館）の中で、意祁王・袁祁王の物語の「ロケーションがなぜ播磨だったのか」について、次のように述べている。

やはり何か、播磨の勢力にバックアップされた天皇家の一族が現われてきた事実があったのではないか。

筆者もそう思う。そして、「播磨の勢力」とは、具体的に言えば、秦氏である。秦氏と意祁王・袁祁王をつなぐのは、ヤマトの葛城氏である。

意祁王・袁祁王の系譜を観《み》れば一目瞭然《いちもくりょうぜん》だが、この兄弟は五世紀に全盛期を迎えた葛城氏の血を引いていた。母方が葛城氏だったのだ。意祁王・袁祁王の宿敵である雄略天皇は、葛城氏の長者・円大臣（都夫良意富美）を滅ぼして即位したのだから、雄略天皇の敵は葛城氏で、意祁王・袁祁王は、葛城系だから、命を狙《ねら》われたのだろう。

葛城氏は朝鮮半島に大いにかかわりを持ち、渡来人たちを管理していたようだ。『日本書紀』と『新撰姓氏録』を総合すれば、秦氏が渡海してきたのも、葛城氏の活躍があったからだ。秦氏は山城（山代）に地盤を築く以前、奈良盆地の西南部、葛城氏の勢力圏に集められ、管理されていた可能性が高いのである。

秦氏が葛城氏とつながっていたことは間違いない。すると、雄略天皇の出現と葛城氏の衰弱は、秦氏にとって、一族の命運を左右しかねない一大事であった。しかも、希望の星であった意祁王・袁祁王は、命を狙われたのである。

意祁王・袁祁王が播磨に逃れたのは、秦氏の手引きによるものだろう。後年、秦河勝は、意祁王・袁祁王の故事を思い出し、播磨に逃れたのかも知れない。

それはともかく、もし私見通り、秦氏が意祁王・袁祁王を播磨に導き、匿《かくま》い、返り咲きを演出したのだとすれば、「秦氏が『古事記』編纂にかかわったその目的」が、明らかになるのではあるまいか。

八世紀に親百済派の藤原氏が勃興《ぼっこう》し朝堂を牛耳《ぎゅうじ》るようになって以降、新羅系の秦氏は利用されるだけ利用され、捨てられていくのである（『伏見稲荷の暗号 秦氏の謎』）。

王家のために富を投げ出し、汗を流してきた秦氏であったが、次第に軽視され、蔑《べっ》視《し》され、差別されていく。当然、藤原氏を恨み、王家を呪《のろ》っただろう。そして、もっとも言いたかったのは、「今の王家を救ったのは、いったい誰だったのだ」ということではなかったか。

「雄略天皇の追っ手をかわし、意祁王・袁祁王を必死に守り抜いたのはわれわれ秦氏であった。意祁王・袁祁王が生き残ったからこそ、王家は継承されたのである。その恩を、王家は忘れたのか……」

『古事記』が顕宗天皇の段でぷっつりと語るのをやめたのは、「よもや、お忘れではあるまいな」と、秦氏がすごんで見せていたのではあるまいか。

つまり、『古事記』は天皇家を脅すために記された文書ではなかったか。

第三章　天皇と鬼

『古事記』は天皇家に悪意を抱いている？

女性の直感には舌を巻く。

大塚ひかりは『愛とまぐはひの古事記』の中で、次のように述べる。

『古事記』を読んでいると、『古事記』の作者は天皇家に悪意を抱いていたのでは？

『古事記』は天皇家への呪《のろ》いの書？　なんて疑念がわいてくる。

日本神話の描く天孫《てんそん》の正統な継承者や天皇族はしばしばとても「あこぎ」だが、『古事記』では『日本書紀』よりもそのあこぎさがビミョーに割り増しされている。

『古事記』は神道《しんとう》の聖典となって珍重され、日本人の三つ子の魂が眠っていると、もてはやされてきたのだ。戦前の皇国史観《こうこくしかん》の宣伝に使われ、『古事記』批判もままならなかった。そして戦後、神話は否定されたが、史学界、文学界も、物語性の強い『古事記』に、ひとつの幻想を抱きはじめたかのようだ。すなわち、「日本人の本質を知るために、『古事記』は絶好のテキストなのではないか。日本人が素直で純朴だった時代の姿は、『古事記』の中に隠されているのではないか」という、新たな聖典としての『古事記』像が出来上がってきてしまっているように思えてならないのである。

だから、大塚ひかりの発言は、じつに刺激的で、意表を突いている。そして、本質に迫っているのではないかとさえ思う。

冷静に考えれば、われわれの御先祖様たちは、記紀神話に登場する神々ではなく、稲荷神《いなりしん》や八幡神《はちまんしん》といった渡来系豪族・秦氏《はた》の奉祭する神々を、ありがたがって受け入れていたのである。

そして、『古事記』編纂《へんさん》に、秦氏が関与した疑いが出てきた。しかもその目的は、天皇家に対する「脅し」であった可能性がある。

「馬鹿《ばか》らしい」

と、ほとんどの史学者や文学者は無視するだろう。けれども、まだ話は終わっていない。これは、序の口である。本当に言いたいことは、ここから先なのだ。

天皇の正体とは何か……。これを、解き明かしたいのである。ヒントは、『古事記』の裏側に隠されていたのだ。「顕宗《けんぞう》天皇の名を挙げて王家に恩を売る秦氏」である。

それにしても、秦氏の行動は不審だ。「恩着せがましい」というレベルの話ではない。歴史の闇《やみ》を垣間《かいま》みる思いがする。大塚ひかりが述べたように、「天皇家への呪い」

を感じずにはいられないのである。

秦氏と天皇家の関係は、じつに怪しい。

秦河勝《はたのかわかつ》は祟《たた》っていた?

秦河勝が祟っていたという話がある。

『日本書紀』を読む限り、秦河勝が人を恨んで死んだなどという気配はどこにもない。怪しげな民間信仰を扇動した大生部多《おおふべのおおこ》を懲らしめ、殺した正義の味方であり、まっとうな人生を送っていたはずなのである。

ところが、秦河勝の末裔《まつえい》(あるいは同族)の世阿弥《ぜあみ》が、奇妙なことを言い出したのだ。『風姿花伝《ふうしかでん》』第四神儀(猿楽《さるがく》の由緒《ゆいしよ》)の中で、世阿弥は猿楽(申楽《さるがく》)の起源と秦河勝について、次のように述べている。話はまず、神代に飛ぶ。

天照大神《あまてらすおおみかみ》が天《あま》の岩戸《いわと》にこもってしまい、天下が常闇《とこやみ》(暗闇)になってしまったために、八百万《やおよろず》の神々は、天《あま》の香具山《かぐやま》に集まり、大神の機嫌をとろうと、神楽《かぐら》を奏し、細男《せいのう》(神楽のあとに行なう滑稽《こっけい》なわざ)をはじめた。

天鈿女命《あまのうずめのみこと》が進み出て、榊《さかき》の枝に幣《しで》をつけ、声をあげ歌い、篝火《かがりび》に照らされ、足を踏みならした。神が取り憑《つ》いて狂っているように、歌舞を演奏した。これで、天照大神が再び世に現れた。この時の歌舞の遊びが、猿楽の始まりであるといわれている。

このように、猿楽の起源が神話に由来することを述べ、またこのあと、秦河勝が秦《しん》の始皇帝《しこうてい》の生まれ変わりであるといい、次のように説話はつながっていく。

秦河勝は、欽明《きんめい》、敏達《びだつ》、用明《ようめい》、崇峻《すしゅん》、推古《すいこ》、上宮太子《かみつみやのひつぎのみこ》（聖徳太子）に仕え、その芸を子孫に伝えた。そして化人《けにん》（化生の人。化け物。変化）は、跡形もなく消えるものだからということで、摂津《せっつ》の国の難波《なにわ》の浦から「うつほ舟（丸木舟）」に乗って、風に任せて西に向かったのだった。すると、播磨国坂越《はりまのくにさこし》の浦（兵庫県赤穂《あこう》市）に着いた。浜辺の人たちが舟を引き上げてみると、乗っていた者は、人間ではなかった。人々に憑依《ひょうい》し、祟り、奇瑞《きずい》をなした。そこで、神と崇《あが》めると、国は豊かになった。「大きに荒るる」と書いて、大荒大明神《おおさけだいみょうじん》と名付けた（現在の大避《おおさけ》神社）。今でも霊験あらたかだ。本地は毘沙門天《びしゃもんてん》で、上宮太子（聖徳太子）が物部守屋《もののべのもりや》の逆臣を平らげた時も、この秦河勝の神通力から得られた方便によって、滅ぼすことができたのだ。

秦河勝を祀る大避神社

世阿弥は秦河勝には神通力があったと称えるが、歴史上の人物で死後霊験あらたかな神になった者は、たいがいの場合、祟る恐ろしい神なのだ。案の定世阿弥は秦河勝をさして「化人（化け物）」と言い、「大きに荒るる神」と表現した。要するに、祟る鬼である。

なぜ、自分たちの先祖を、鬼呼ばわりしたのだろう。ここに、大きな謎《なぞ》が隠されている。

播磨の大避神社周辺の伝承にあったように、もし仮に秦河勝が上宮王家《じょうぐうおうけ》滅亡事件のとばっちりで播磨に追いやられたのなら、蘇我入鹿《そがのいるか》を恨んでいたということになるけれども、これはあり得ない。

『日本書紀』の上宮王家滅亡事件の場面で、蘇我入鹿の軍勢に襲われた山背大兄王《やましろのおおえのみこ》にお付きの者が、「深草屯倉《ふかくさのみやけ》（山城）に逃れれば戦に勝つことができる」と献策している。山城（山背）といえば、秦氏の根城であり、ここでは、「秦氏を頼れば蘇我入鹿に勝つことができる」と言っていることになる。山背大兄王の名が「山背」なのは、偶然ではあるまい。

山背大兄王は実在しなかったというのが筆者の持論だが、『日本書紀』は、この凶暴な事件をでっちあげることによって、蘇我入鹿のワルぶりを強調してみせたが、このような物語が生まれる背景に、蘇我氏と山城の秦氏の対立があったとみるべきであろう。しかし、そうなると、乙巳《いっし》の変（六四五）の蘇我入鹿の滅亡によって秦河勝は勝者となり、「祟る理由」を失ったのであって、なぜ世阿弥が、「秦河勝は祟る鬼」と言い続けたのか、その理由が分からないのである。

鬼が鬼であることを利用した

世阿弥が「秦河勝は祟る鬼だった」と書き残したのは、「すごんでみせている」ということではなかろうか。

秦氏は芸能の民や技術者（職人）が多数輩出していったが、平安時代後期以降、彼らは差別されるようになっていった。彼ら自身が「鬼」とみなされていくのだが、差別される者たちは開き直り、「鬼」であることを逆に利用していった節がある。

元々、差別される者たちのルーツをたどっていくと、神や遊びとかかわりのある人たちにつながっていく。世阿弥が『風姿花伝』の中で、「猿楽の起源は天照大神の前で披露した遊び」だったと言っているように、「神遊び」は神事であって、楽人たちがこれを支えてきたのだ。その神遊びの楽人の末裔が、世阿弥である。

元々は神に仕え、神聖な場にいた者がなぜ「鬼」とみなされていくようになったかというと、ここに多神教的発想が織り込まれていた。このあたりの事情はすでに、『呪う天皇の暗号』（新潮文庫）の中で述べているので、簡単に説明しておく。

多神教世界では、神は二面性を持ち合わせている。幸をもたらす良い面と、災いをもたらす恐ろしい側面の双方である。一神教の神なら、唯一《ゆいいつ》絶対の正義である神が、なぜ多神教世界では、善悪二つの顔を持つのだろう。

「神は大自然」と考えればわかりやすい。

神（自然）が怒れば、嵐《あらし》や地震、干魃《かんばつ》などの災害をもたらす。ところが、神の怒りを鎮《しず》めれば、神は豊穣《ほうじょう》をもたらす。神と鬼は対立する存在ではなく、表裏一体とみなされていたのだ。

ところが、八世紀以降、神と鬼は観念上分離させられ、「鬼」は穢《けが》れた邪悪な存在と蔑《さげす》まれていくようになる。本来、「シコ」「モノ」と呼ばれていた「鬼」が、「オニ」と読まれるようになったのも、このころのことだ。「鬼」は、「神の裏側」ではなく、「神」と相対する存在に変化していったのである。

理由ははっきりとしている。律令制度《りつりょうせいど》が整ったころ、ヤマト建国来の大豪族は没落し、藤原（中臣《なかとみ》）氏が勝ち残ったからだ。中臣氏が神道祭祀《さいし》を独占し、旧豪族の祀《まつ》っていた由緒ある神々が、「邪悪な神」に貶《おとし》められていったのだ。こうして「敗れた神」「邪悪な神」は、「鬼」のレッテルを貼られたのである。

そして、神に仕えていた者たちも零落した。彼らは「鬼」とみなされ、差別されていくのだ。「神遊び（神まつり）」の楽人と強くつながる秦氏が、鬼呼ばわりされていくのは、このためだ。

もちろん、秦氏が新羅《しらぎ》系渡来人であったことも、差別される大きな理由と考えられるが、もうひとつ、筆者は大きな原因があったと考える。秦氏には、消すに消せない過去があったのではないかと疑っているのである。

それが、すでに触れた、秦河勝による蘇我入鹿殺しだ。

筆者は、七世紀の真の改革者は蘇我本宗家《ほんそうけ》で、彼らの業績はすべて聖徳太子という虚像の手柄にされてしまったと推理する。つまり、蘇我氏は当時、聖徳太子のように称賛され、慕われていたと考える。その蘇我入鹿を殺してしまったとすれば、秦河勝は重い十字架を背負わされたのではないかと思えてくるのである。

そこで、注目してみたいのは、『日本書紀』に記された秦河勝の大生部多殺しである。ここに、秦氏の犯した罪が、記録されているように思えてならないからである。

秦河勝が大生部多を懲らしめた意味

すでに触れたように、『日本書紀』皇極《こうぎょく》三年（六四四）秋七月の条には、東国の不《ふ》尽河《じのかわ》（富士川）のほとりの大生部多なる人物を秦河勝が殺したという記事があった。民間信仰を広め、民衆を扇動していた人物である。

大生部多は、虫を祀ることを村里の人々に勧めていたのだ。

「これは、常世《とこよ》の神です。この神を祀れば、富と長寿を得ることができます」

と説いてまわった。巫覡《ふげき》（神の意志を伝える者。女性は「巫」、男性は「覡」）らはついに偽って神託と称して次のように語った。

「常世の神を祀れば、貧しい者は富を得、老いた者は若返る」

こうしてますます盛んに勧誘し、人々の家の財宝を捨てさせ、酒、野菜や家畜を道端に並べて、「新しい富が入ってきた」と叫ばせた。都も田舎の人も、常世の虫をとって、清座《しきい》（家の中の神聖な場所）に置いて、歌って舞い、福を求めて珍宝を捨てた。

しかし、御利益はなく、損ない費やすことばかりだった。

ここに葛野《かどの》（京都盆地南西部一帯）の秦造河勝が、民が惑わされているのを憎み、大生部多を討ち取った。巫覡らは、恐れて、宗教活動をやめた。

問題は、時の人たちが、次のように歌を造ったことだ。

太秦《うずまさ》は　神とも神と　聞え来る　常世の神を　打《う》ち懲《きた》ますも
（太秦＝秦河勝は、神の中の神と噂《うわさ》された常世の神を打ち懲らしめた）

話の流れから、この歌は秦河勝を称賛したという意味に採られるが、別の意味にも解釈が可能だ。

常世には、ふたつの意味がある。死後の闇の世界と、不老長寿の世界だ。

この歌は、常世を「不老長寿の楽園」と言っていることは間違いない。それを「打ち懲らしめた」というのは、矛盾である。

ならば、事件の真相はどのようなものだったのだろう。問題は、ここにいたる数年の『日本書紀』の記事が、乙巳の変（六四五）の正当性を主張し続けていたことだ。大生部多の事件の直後に、蘇我入鹿暗殺が記録されているのは無視できない。

大生部多は人々に財宝を捨てさせ、「新しい富が入ってきた」と、信じ込ませることに成功したという。

この「新興宗教」は、蘇我氏が中心となって推進していた律令制度にそっくりではないか。律令制度が整備されれば、豪族たちはそれまで支配していた広大な領土と大量の民を国（天皇）に差し出さねばならない。その上で、新たな官位と役職と俸禄《ほうろく》を下賜《かし》されるのだ。

人々は競って財を投げ出し、「それはだまされているのだ」と、秦河勝は大生部多を懲らしめたのだった。それを見た人々は、「秦河勝は常世の神を殺してしまった」と、歌った。これはそのまま、改革事業の先頭に立っていた蘇我入鹿を殺した秦河勝という図式に、ぴったりと重なるのである。

『日本書紀』によれば、蘇我入鹿暗殺を目撃した斉明《さいめい》天皇の身辺に無気味な鬼がつきまとったと言い、近侍する者がバタバタと死んでいったと記録する。そして『扶桑《ふそう》略記《りやつき》』は、「その鬼は豊浦大臣《とゆらのおおおみ》」と言い、これは蘇我蝦夷《そがのえみし》・入鹿親子のどちらかをさしている。斉明天皇は蘇我入鹿の断末魔の声を聞いているのだから、鬼の正体は蘇我入鹿であろう。無実の罪で殺された者は、祟ると信じられていたのだ。それはなぜかといえば、祟られる側にやましい心があったからである。

平安時代の菅原道真《すがわらのみちざね》も祟って人々を恐怖のどん底に突き落としているが、菅原道真と蘇我入鹿の境遇はそっくりなのだ。改革事業を押し進めていたのに、暗殺され、しかも手柄を横取りされてしまった。当然、殺した側は「恨んで出てくるかもしれない」とおののいただろうし、小さな変事にも、「もしや」と、震え上がったのである。

ただし、『日本書紀』は、斉明天皇にまとわりついた鬼を蘇我氏と明言できなかった。それは、蘇我氏が祟っていたことが知られれば、「蘇我＝悪」という「中大兄皇子《なかのおおえのみこ》と中臣鎌足《なかとみのかまたり》＝正義の味方」という勧善懲悪の図式が瓦解するからであろう。

秦河勝の常世の神殺し

秦河勝には蘇我入鹿を殺す動機が、十分備わっていた。

まず第一に、秦氏が古い時代に渡来してきたことが、七世紀にいたって足かせとなり、蘇我氏と対立する原因となった。

秦氏は朝鮮半島からもたらした知識と技術を駆使して、王家に富をもたらし、各地を開墾していった。しかし、もっとも古い時代に渡来した秦氏にとって、弱点は、知識や技術が陳腐なものになっていくことだった。そして事実、朝鮮半島の争乱に日本が加勢していくことで、王家は朝鮮半島の国々に、知識人や技術者を要求した。これが「今来《いまき》の才伎《てひと》」と呼ばれる人々で、新鮮な情報や技術が、次々ともたらされるようになったのである。

渡来人は大豪族や王家に支配され、彼らに富をもたらすいっぽうで、政治力は与えられなかった。だから、秦氏にとって、新来の渡来人は地位を脅《おびや》かすライバルであった。その「今来の渡来人」を、大いに活用して力をつけたのが蘇我氏だったから、秦氏と蘇我氏の関係は、次第に疎遠《そえん》になっていったのだろう。

第二に、律令制度が導入されれば、一番損をするのは、広大な土地を保有する豪族である。もちろん、秦氏は、山城のみならず、各地の灌漑《かんがい》事業に取り組み、多くの土地を所有していたであろう。秦氏の政治力は弱かったが、武器となったのは、土地と、民のネットワークと、富であろう。富を産み出す源泉である土地と民を奪われれば、秦氏の地位は著しく低下すると、秦河勝は読んだに違いない。

これが、蘇我入鹿殺しの動機である。ただし、聖徳太子と秦河勝の関係からみて、当初蘇我氏と秦氏は、共存していただろうし、秦氏は蘇我氏の行動に従っていたのだろう（くどいようだが、聖徳太子は虚像と筆者は考える）。だが、秦河勝の心には葛藤《かっとう》があったにちがいない。このまま蘇我氏のいいなりになっていてよいのか……。それを見透かした中大兄皇子と中臣鎌足が、秦河勝をそそのかしたというのが、蘇我入鹿暗殺事件の本質であろう。

そして問題は、蘇我入鹿殺しが聖者殺しであって、秦河勝が十字架を背負ってしまったこと。それだけならまだしも、八世紀の朝廷は、『日本書紀』を編纂し、「聖徳太子と山背大兄王」という虚像を用意し、改革者＝蘇我氏を「天皇家を蔑《ないがし》ろにし、改革の邪魔をした反動勢力」にすり替えてしまい、「大悪を滅ぼしたのは、中大兄皇子と中臣鎌足」というストーリーを築き、「悪人退治をした秦河勝」を、無視して大生部多事件に、「業績」を矮小化《わいしょうか》してしまったのである。

秦河勝の蘇我入鹿殺しは、歴史書からは消されたが、「常世の神を殺してしまった」という話は、多くの人々の記憶に残されただろう。そして、秦氏は石礫《いしつぶて》を投げられ、暮らしていくことになったのではあるまいか。

秦氏の複雑な恨み

中大兄皇子（天智《てんじ》天皇）や中臣《なかとみの》（藤原《ふじわらの》）鎌足《かまたり》は、今でこそ英雄と信じられているが、当時の民衆の支持を獲得していたかというと、実に心許ない。『日本書紀』でさえ、その後の中大兄皇子の行動に対し、多くの人が罵《ののし》り、たびたび宮が不審火につつまれたと記録しているほどだからだ。また、『藤原氏の正体』で触れたように、藤原氏は他者との共存を拒み、「権力を握るためならどんなことでもやった」一族だから、多くの人たちに憎まれ、恨まれた。

ここで、ふと思うのは、秦河勝の不思議な立ち位置である。いくら蘇我氏のやり方に不満を抱いていたとしても、中大兄皇子と中臣鎌足のそそのかしに乗ったとすれば、あまりに迂闊《うかつ》であった。

平安時代、秦氏は藤原氏に蹴落《けお》とされていくが、皮肉なことに、藤原氏の繁栄を築くきっかけを造ったのが、秦河勝であった。中大兄皇子と中臣鎌足の末裔が、平安時代の朝廷を形成して、この体制が約千年続くのは、秦河勝による蘇我入鹿暗殺のおかげであった。

つまり、秦河勝は損な役回りを負わされたのである。

問題は、天智の王家＋藤原氏は、「親百済《くだら》系」だったことで、新羅出身の秦氏は、本来なら仇敵《きゅうてき》である彼らの政権を造るために手を貸し、聖者の血で、自らの手を汚したことになったわけである。そして、手助けした相手だけが栄え、自らは「聖者殺し」という十字架」を背負わされ、差別されていくという不条理だけが残された。

秦氏の恨みは、複雑で、奥が深い。

広隆寺《こうりゅうじ》本尊は聖徳太子三十三歳像で、歴代天皇は、即位儀礼に用いた服をこの像に贈りつづけてきた。だから、今着ている服は、今上《きんじょう》天皇のものだ。

これは、異常なことだ。『日本書紀』に従えば、摂政《せっしょう》で皇太子のまま聖徳太子は亡《な》くなったが、恨みを抱く理由はどこにもなかった。しかし、これらの慣習は、明らかに、歴代天皇が「聖徳太子に即位していただかないと、恐ろしくてろくに眠ることもできない」と考えていたことを証明している。

なぜ天皇家は、「広隆寺の聖徳太子」に怯《おび》え続けたのだろう。

この図、『古事記』と似ている。要するに、天皇家はゆすられているのではあるまいか。

つまり、「秦河勝をそそのかして聖者殺しをさせたのは、現政権の始祖となった中大兄皇子と中臣鎌足ではないか」と、秦氏は訴えているのである。

もちろん、表立って言っているわけではない。王家に向かって、「すべては言わぬが」と、すごんで見せているのだろう。秦氏は差別される者であり、捨てるものは何もない。怖いもの知らずである。そんな彼らが、「秦氏を尊重しないと、何もかも、ばらしますよ」と、「ゆする材料」を持っていたことになる。王家は震え上がり、「広隆寺の聖徳太子」に頭が上がらなかったのであろう。

世阿弥が「秦河勝は鬼」と言って見せたのは、これらの事情が、背景に隠されていたからだろう。

なぜ天皇家は永続したのか

ここで思い出すのは、網野善彦《あみのよしひこ》が掲げた考えだ。天皇家が永続したのは、最下層の差別される人々が、裏側から天皇家を支え、守ったからではないか、という発想である。

網野善彦の考えが正しければ、天皇家の永続を願い、支えてきた勢力に、秦氏が含まれていたことになる。これは本当だろうか。

そこでしばらく、天皇家がなぜ断絶することなく続いたのか、この大きな謎について、考えてみたい。

天皇の権威を知る上で、興味深い事件が、中世に起きている。鎌倉時代の承久《じょうきゅう》の乱（一二二一）の話だ。

後鳥羽上皇《ごとばじょうこう》は鎌倉の北条義時《ほうじょうよしとき》追討を決断したが、鎌倉幕府は十九万の大軍を西に差し向け、朝廷を圧倒してしまう。しかしこの時、軍勢を率いていた北条泰時《やすとき》は、父・義時に「もし朝廷軍が錦《にしき》の御旗《みはた》を掲げてきたときはどうすればよいのか」その判断を仰いでいた。義時は、無条件に降伏することを命じていたのだ。

結局、錦の御旗は戦場に現れなかった。こうして、後鳥羽上皇は無残にも、隠岐《おき》に流されたのである。

ただし、後鳥羽上皇の崩御《ほうぎょ》ののち、鎌倉幕府の要人たちが急死していった。また、北条泰時も発狂して亡くなり、幕府は騒然となった。後鳥羽上皇の祟りが喧伝《けんでん》され、「天魔《てんま》蜂起《ほうき》」と噂されたのである。

このように、天皇や上皇に手をかければ、恐ろしい目に遭うと、信じられていたのだ。慶応《けいおう》四年（一八六八）の鳥羽伏見の戦いでは、一万五千の幕府軍は、四千の薩長《さっちょう》軍に敗れるが、敗走のきっかけは、錦の御旗が戦場に掲げられたことだった。

この、不思議な天皇や錦の御旗の魔力は、どこから生まれてきたものなのだろう。『無縁・公界《くがい》・楽』『異形の王権』（ともに平凡社）などの著書の中で網野善彦は、支配ピラミッドの頂点に君臨する天皇と、最下層の人々の間に、強いつながりがあると指摘したのだった。すなわち、とらえどころがない漂泊する非農耕民、差別される道々《みちみち》の者（道々《みちみち》の輩《ともがら》）と天皇の強い絆《きずな》であり、これら漂泊する人々によって、天皇の不可侵性が守られたのではないかとする考えである。

私的隷属《れいぞく》を嫌った芸能民、勧進《かんじん》、遊女《うかれめ》、鋳物師《いもじ》、木地屋《きじや》、薬売りなどの商人、工人《こうじん》、職人などの非農耕民は、土地に定着せず漂泊し、各地を遍歴、漂泊した。彼らは律令の枠からはずされ、あるいは進んではみ出ていった人々で、朝廷は彼らを把握しきれず、厄介な存在だった。

秦氏同様、彼らは「元々われわれは、神々に近い存在だった」と、考えていた。供《く》御人《ごにん》の流れを汲み、神社や天皇に供《く》御（飲食物などのお供え）を献上し、見返りに通行の自由、税や諸役の免除、私的隷属からの解放という特権を天皇から獲得していたのだ。俗権力が及ばない人々でもある。

このように、律令や社会とは一線を画し縁を切った生き方を選択した彼らは、「無縁の人々」と呼ばれ、「自由な世界」に生きる人々でもあった。また、天皇同様「人間ではない」人々でもある。彼らは裏の社会を形成し、独自の世界を構築していったのである。

大和岩雄《おおわいわお》は、少し違った視点から、天皇と対極に位置する差別される人々の関係を説いている。

天皇や神と対極にある鬼（シコ・モノ）が、実際には、天皇と表裏一体の関係にある、というのだ。

鬼には三種類あって、（1）天皇に対立する存在の「まつろわぬもの」、（2）鬼を討つ側の天皇権力という鬼、（3）天皇権力の側にいた者が権力から追い払われてなる鬼で、一見して対立してみえるが、「ひとつの実態の表と裏の関係にある」とする（『鬼と天皇』白水社）。また、鬼は天皇の影法師と指摘する。

すでに述べた古代人の神と鬼の観念を知っていれば、大和岩雄の言わんとしていることがすんなり理解できるはずだ。網野善彦の述べるように、支配ピラミッドの頂点に立つ天皇と、底辺にうごめく無縁の人々は、神と鬼の関係で説明がつくわけである。

天皇はすぐれて政治的存在なのか

網野善彦らの考えは、多くの民俗学者や史学者の支持を得た。ただ、これに激しく反論したのは、今谷明《いまたにあきら》だった。

今谷明は網野善彦の発想を、「非農業民や文化人類学的手法でこの問題を説明しようとしている」といい、次のように述べる。

天皇制度が、すぐれて政治的存在である以上、あくまで政治史の問題として分析する努力を持続することが不可欠であり、いくら民俗学・人類学的方法をもってしても、そこからは結果論的解釈しか得られない（『室町の王権』中公新書）

天皇制度が「すぐれて政治的」であることはたしかにしても、いっぽうで、「すぐれて宗教的」でもあったのだが、この点に関しては、私見は後にのべることにする。

まずここでは、どのように今谷明は考えたのか、『室町の王権』を追ってみよう。

今谷明が注目したのは、室町幕府の三代将軍・足利義満《あしかがよしみつ》だった。義満が、王権簒奪《さんだつ》を企て、なぜ失敗したのか、政治史の問題として分析したのだ。

まず今谷明は、古代の天皇が自ら権力を握り、政治を取り仕切っていたという前提を掲げる（これは、半分正しく、半分間違っている。その意味は、後ほど）。ところが、平安時代（十世紀）になって、藤原北家《ふじわらほっけ》が摂関政治《せっかんせいじ》をはじめたため、実権を奪われてしまった。

ではなぜ、この時天皇は潰《つぶ》されなかったのかと言えば、次のような事情によるという。

天皇は譲位後に上皇（太上天皇《だいじょうてんのう》、院《いん》）となって「院政」をはじめた。こうすることによって、権力を奪還したという。権力を握った上皇は、「治天《ちてん》の君《きみ》」と呼ばれた。王家の二重構造である。天皇は権威を維持し、上皇が実権を握るのだ。そして、何か問題が起きれば、上皇は天皇に責任を押しつけ、難を逃れることができた。

鎌倉に武家政権が誕生したあとも、西国の荘園《しょうえん》領主や権門《けんもん》勢力の後押しを受けることによって、幕府に対抗できたとする。

ところが、足利義満は、本気で王権簒奪を企て、実現しかかったとする。ではなぜ、失敗したかというと、原因の第一は、夢半ばで義満が亡くなったこと、第二に、幕府内部の要人たちが、義満の王権簒奪計画に批判的だったから、とする。宿老たちは、足利氏と対等という意識をもっていたため、義満がさらに強い権力を握り突出することを、恐れたというのである。

結局、網野善彦が主張するような、天皇と最下層の人間が結びつき、祭司王《さいしおう》としての天皇が永続したという発想は、共同幻想に過ぎず、現実には、政治史の力学によって、たまたま万世一系が保たれたに過ぎない、と主張したのである。

われわれが知りたいのは「なぜ錦の御旗がこわいのか」

なるほど、今谷明の主張ももっともなことだ。しかし、大きな不満を感じずにはいられない。

これまで、「天皇とは何か」を考える場合、「天皇」をひとつの型にはめようとしてきたような気がしてならない。三世紀後半（あるいは四世紀）のヤマト建国来、ヤマトの王は、その都度、環境の変化に応じて、まるでアメーバのように、形を変えながら、生きながらえてきたのであって、「天皇とはこういうものだから永続したのだ」と、ひとつの答えだけで答えられるものではない。まして、「天皇とは極めて政治的」と決め付けることも、間違っている。天皇は独裁権力を握ったことはあるが、だからといって、祭司王の権威も失っていなかった。錦の御旗の例を観《み》れば、それは明らかだろう。

もちろん、政治的要因が重なって、天皇が生きのびたことも事実だろう。しかしわれわれが知りたいのは、「なぜ錦の御旗が恐ろしいのか」であり、「なぜ人々は後鳥羽上皇の祟りに怯えたのか」である。

筆者は、ヤマト建国時、すでにヤマトの王は「祟る恐ろしい神」だったのではないかと考えている。

以下、ヤマト建国と祟る恐ろしいヤマトの王の話をしておきたい。

すでに述べたように、考古学はヤマト建国の詳細を、ほぼ明らかにしてしまっている。そして、ヤマトの王の性格をある程度明らかにしている。ヤマト建国のシンボルである前方後円墳《ぜんぽうこうえんふん》が、いくつもの地域の埋葬文化を融合させて完成していたからだ。しかも、纏向《まきむく》遺跡（奈良県桜井市）には、西日本のみならず、近江《おうみ》や東海、関東の土器が、流れ込んでいる。土器がもたらされたということは、多くの人々がヤマトに集まってきていたことを意味する。

では、ヤマトの王はどのように「玉座《ぎょくざ》」を獲得したのだろう。前方後円墳の成り立ちから考えても、少なくとも、強い王が征服したわけではなさそうだ。前方後円墳も、広域に伝播《でんぱ》していったが、強圧的に採用させたわけではなく、ゆるやかな連合の象徴として、受け入れられていったと考えられる。

そこで『日本書紀』をひもとくと、興味深い記事に気付かされる。

すでに述べたように、通説は初代神武《じんむ》天皇と第十代崇神《すじん》天皇は、同一人物であったと考える。「神武」や「崇神」といった漢風諡号《かんふうしごう》は『日本書紀』編者が考えたのではなく、やや時代が下って天智天皇の末裔で奈良時代後期の学者・淡海三船《おうみのみふね》が編み出したものなのだが、なぜ初代王に、「神」の名が冠せられたのだろう。蛇足ながら付け加えると、筆者は神武天皇と第十五代応神《おうじん》天皇は同一人物で、神武天皇と崇神天皇は同時代人と考えるが、「神」の名を持つ天皇は、神武、崇神、応神だけなのだから、ヤマト建国時の王は全員「神」のような王だったことになる。

現代人の常識で考えれば、「神のような武力を行使してヤマトを圧倒した天皇」や、「神のように偉大な業績を残した天皇」と思い込んでしまう。しかし、古代人にとって神は鬼であり、鬼は神なのだから、そうやすやすと、「偉大だから神」と決め付けるわけにはいかない。

そこで神武天皇紀に目をやると、神武天皇の意外な側面が明らかになる。

「神武東征」という言葉があまりにも有名なため、神武天皇がヤマトを強大な武力で制圧したかのような錯覚がある。しかし、実際には神武は負け続けた末に、ようやくヤマト入りを果たしたのだった。

まず神武の一行は、瀬戸内海から生駒山《いこまやま》越えを目論《もくろ》むが、土着の長髄彦《ながすねびこ》の抵抗にあって、あえなく退却。兄が戦死する。緒戦の敗北がこたえたのか、神武は紀伊半島を大きく迂回《うかい》するという奇策に打って出る。しかし、途中土着の神の毒気にやられて立ち往生する。天神《あまつかみ》の助けを借りて危機を脱した神武一行だったが、奈良盆地には敵が充満していて、とてもではないが勝ち目はないと悟る。すると天神の託宣があって、密《ひそ》かに天の香具山の土を取り、その土で土器を造り、天神地祇《てんじんちぎ》を祀れば、負けない体になると教わる。そのとおり実行し、神武天皇は勝利するのである。

つまり、神武のヤマト入りは、「神がかり的」なのであって、けっして実力ではなかったのである。

けれども、神武東征をそのまま信じるわけにはいかない。現実には、呪いでウンカの如《ごと》き大群が敗れるわけがないからだ。ならばなぜ、神武はヤマトに入ることができたのだろう。

鬼のように恐れられ神のように崇《あが》められた黎明《れいめい》期のヤマトの王

そこで、今度は『日本書紀』の崇神天皇の記事に注目してみよう。

崇神五年、国内で疫病《えきびょう》が蔓延《まんえん》し、人口は半減した。翌年になっても事態は収まる気配を見せず、百姓《おおみたから》は土地を手放し流浪《るろう》し、背く者まで現れた。天皇の徳をもってしても、無駄だった。崇神天皇は朝から晩まで政務に没頭し、天神地祇に罪を謝り続けた。

さらに翌年、崇神天皇は八百万の神々を集め、占いをしてみた。災難が降りかかるのは、朝廷に善政がなく、天神地祇から咎《とが》められているのではないかと恐れたのである。

するとヤマトの国に鎮座する出雲《いずも》神《しん》・大物主神《おおものぬしのかみ》が倭迹迹日百襲姫命《やまとととびももそひめのみこと》に神託を下し、

「私を祀れ」と命じた。

崇神天皇は祭祀を行ったが、験《しるし》が現れない。そこで沐浴《もくよく》して身を清めて夢占いをしてみると、次のようなお告げを得た。

「もう憂《うれ》うことはない。これまでの数々の災難は、私の意志であった。もしわが子の大田田根子《おおたたねこ》に私を祀らせれば、たちどころに世は平静を取り戻すだろう。また、海の外の国も自《おの》ずから靡《なび》いてこよう」

人を手配して捜すと、茅渟県《ちぬのあがた》の陶邑《すえのむら》（大阪府堺《さかい》市から和歌山県県境付近）で大田田根子を見つけた。大田田根子が大物主神を祀ると、神託どおり、世は平静を取り戻したのである。

このように、神武天皇は「呪い」をかけることによって、ヤマト入りを可能にした。崇神天皇は、「神を崇める」ことで、ようやく治政を安定させることができたのだ。

『日本書紀』のヤマト建国にまつわる記述は、「説話」であり「神話」なのだから、歴史として捉えるべきではないというのが、これまでの常識であった。しかし、すでに述べたように、考古学の描くヤマト建国と『日本書紀』の記事は、驚くほどよく似ていることが、分かってきた。八世紀の朝廷は、三世紀の歴史を正確に知っていたからこそ、歴史改竄《かいざん》の必要性に迫られ、ひとつの話をいくつかのブロックに分解して語らざるを得なかったというのが、本当のところだろう。

神武天皇の東征と崇神天皇の「祟る出雲神」の説話は、実際には同じ時代の事件だったのだ。そして、出雲神の祟りが恐ろしいから、これを鎮めるために、神武がヤマトに連れて来られたのである。

神武天皇が、「祟りを封じ込めるために連れて来られた」のは、神武天皇が「祟り神を封じ込める力を持っていた」からだ。神武天皇は、神であるとともに、鬼なのだった。すなわち、「なぜ天皇は恐ろしいのか」という謎は、神武天皇擁立の歴史をふり返れば消える。最初から天皇は、鬼だったのである。

そうはいっても、これまでの常識とは異なり、神武天皇は「天孫族でありながら出雲神の末裔だった」ことになるから、にわかには信じることはできないだろう。けれどもこのあたりの事情を理解していただかないと、話が進まないので、いったんここで、出雲の歴史について、説明しておきたい。

物部《もののべ》氏と尾張《おわり》氏の祖が出雲を潰しにかかった？

出雲（島根県東部）から鳥取県にかけての山陰地方がヤマト建国に貢献していたことは、考古学的にはっきりとしてきたし、ヤマト建国ののち、なぜか出雲が没落していたことも分かっている。ヤマト建国の象徴は前方後円墳の出現であって、この独自の埋葬文化が、四世紀日本列島の各地に伝播《でんぱ》し受け入れられていったのだ。ところが出雲では、なぜか前方後円墳が造営されず（あるいは造営を許されず）、方墳《ほうふん》や小振りな前方後方墳《ぜんぽうこうほうふん》（念のために言っておくが、前方後円墳ではない。前も後ろも方形の古墳）をしばらく造営するのだ。ヤマト建国の輪、同盟関係のなかに、出雲は入れてもらえなかったことになる。これはまるで、出雲の国譲《くにゆず》り神話とそっくりではないか。

それだけではない。神話の中で、出雲神に国譲りを強要するのは経津主神《ふつぬしのかみ》と武甕雷神《たけみかづちのかみ》だが、彼らはそれぞれ「物部系」「尾張系」と考えられている。そして、実際に出雲潰しの尖兵となったのが、物部氏と尾張氏の祖であった可能性が高い。

出雲の西隣の石見《いわみ》国の物部神社（島根県大田市）では、次のように語り継がれている。すなわち、物部氏の祖の宇摩志麻治命《うましまぢのみこと》（饒速日命《にぎはやひのみこと》の子で、『日本書紀』に言う可美真手命《うましまでのみこと》）は尾張氏の祖・天香語山命《あまのかごやまのみこと》とともに越《こし》の弥彦《やひこ》（新潟県西蒲原《にしかんばら》郡）に赴き、かの地を平らげ、さらに宇摩志麻治命は移動し、石見の地に舞い下り、拠点を造ったというのだ。

神社伝承だからといって無視できないのは、弥生時代後期の出雲で発達した四隅突《よすみとつ》出型墳丘墓《しゅつがたふんきゅうぼ》が北陸地方に伝播していたこと、天香語山命と宇摩志麻治命の押さえた場所が、ちょうど四隅突出型墳丘墓の勢力圏を包み込むための絶好の位置にあたっているからだ。

ヤマト建国に出雲が一肌脱いでいたのに、その後追い落とされたということは、ヤマト黎明《れいめい》期の主導権争いだろう。いくつもの地域が集まってヤマトが建国されたのだから、誰が国の中心に立つのか、駆け引きがあって当然である。

問題は、ヤマト建国の地・纏向《まきむく》に、東海系の土器が大量に流れ込んでいること、そしてもうひとつ大切なことは、数は少ないものの、吉備《きび》からもたらされた土器のみが、「生活のための必需品」ではなく、「祭祀《さいし》に用いる特殊な土器」だったことである。

これを、どう考えるか……。まず、吉備の土器が祭祀に用いられるものであったことから、ヤマト建国の中心に吉備が立っていた可能性が高かったのではないかと考えられている。筆者もそう思うし、物部氏の祖の饒速日命は、吉備からやってきたと見ている。

物部氏の拠点である大阪府八尾《やお》市からは、三世紀の吉備系の土器が大量に出土している。物部氏は河内《かわち》から大和《やまと》盆地の北西部に勢力圏を広げていったが、「河内とヤマトの西側を支配した」のは、彼らが瀬戸内海からやってきたからだろう。ヤマトの主導権争いで危険な目に遭っても、大和川を下って瀬戸内海に舟を漕ぎ出せば助かる。彼らは安全な場所を、本能的に選んだのだろう。

東海系の土器が多いという点に関しては、評価が低い。東海の人々がヤマト建国に多大な影響力を及ぼしたわけではないというのだ。なぜなら、労働力として狩り出されたのだろうという。これが、史学界の一般的な見方だ。

しかしこれは、「古代の日本列島で、東国は後進地帯だった」という常識に縛られた、古くさい発想に過ぎない。前方後円墳の原型が生まれたころ、すでに近江や東海地方では、「前方後方墳」という独自の埋葬形式が編み出され、前方後円墳よりも早く、各地に採用されていたという事実が明らかになってきている。纏向に集まった外来系土器の過半数が、近江と東海からもたらされていたのは、彼らがヤマト建国に果たした役割の大きさを物語っていたはずである。

饒速日命と長髄彦は吉備と東海からやってきた

そこで『日本書紀』をひもとくと、興味深い事実に行き当たる。それは、ヤマト建国時に集まってきた人々の顔ぶれと地域性のことだ。まず、出雲から大物主神《おおものぬしのかみ》が三輪山《みわやま》（奈良県桜井市）に移し祀られた。次に、物部氏の祖の饒速日命が、天磐船《あまのいわふね》に乗って空から舞い下りてきて、先にいた長髄彦の妹を娶《めと》り、ヤマトに君臨した。そして最後に、九州から神武天皇がやってきたというのである。

考古学が示すヤマト建国の立役者は、「出雲」「吉備」「九州」そして、「近江・東海」である。すると、前の記事で、「吉備」と「近江・東海」が抜け落ちている。ただし、物部氏の祖は吉備出身であろう。そして、残った長髄彦と「近江・東海」が、同一ではないかと、筆者は考える（拙著『なぜ饒速日命は長髄彦を裏切ったのか』PHP研究所）。

このように考える理由は、いくつかある。まず、先述した前方後方墳が、畿内にももたらされていたことを無視できない。前方後方墳は近江や東海（尾張周辺）で生まれたのである。

さらに、『先代旧事本紀《せんだいくじほんぎ》』は物部氏と尾張氏が祖を同じくする親族であったという。これは『日本書紀』にはない記事で、両者の近い関係は「ヤマト建国時の婚姻」によるものだろう。

ところで、出雲は前方後方墳の密集地帯で、かつては「前方後方墳は出雲で誕生し、各地に広まった」と考えられていたほどだ。しかし、考古学は、「前方後方墳の発祥地は近江から伊勢《いせ》湾沿岸（尾張）」と特定している。ではなぜ、出雲に前方後方墳なのかといえば、ヤマト建国時、「物部氏と尾張氏の祖が出雲いじめをした」からで、尾張氏の祖が、出雲にとどまったからだろう。

出雲国造家《こくそうけ》といえば、出雲大社を祀る神官としても知られているが、当初彼らは出雲大社とは遠く離れた意宇《おう》（安来《やすぎ》市から松江市にかけて）の地域に住み、意宇川上流の熊野《くまの》大社を祀っていたものだ。熊野大社といえば、紀伊《きい》半島にも存在するが、尾張氏の祖の天香語山命は、「熊野の高倉下《たかくらじ》」とも呼ばれていた。ここに登場する「熊野」は、出雲ではなく紀伊半島の地名だ。つまり、「出雲の熊野大社」のルーツは、紀伊半島の熊野大社で、尾張氏が出雲にもちこんだと考えざるを得ないのである。

そもそも神話の中で、出雲国造家の祖・天穂日命《あまのほひのみこと》は、国譲りの工作員として出雲に送り込まれたにもかかわらず、出雲に同化してしまったという設定であった。ならば、ヤマト建国後の主導権争いで出雲が敗れ、尾張氏の祖が出雲にとどまったという推理と矛盾はない。

なぜこのような出雲神話の世界にこだわるかというと、ヤマト建国前後のいさかいが、出雲の国譲りと天孫降臨神話の中に閉じ込められてしまったことをはっきりさせたかったのと、日本海と瀬戸内海の流通経路と外交をめぐる主導権争いが、出雲の国譲り神話の裏側に隠されていると睨《にら》んでいるからである。

そこで、そもそもヤマト建国の経緯はどのようなものだったのか、ヤマト建国後の日本海と瀬戸内海の主導権争いはなぜ勃発《ぼっぱつ》したのか、考えておきたい。

すでに述べたように、物部氏の祖は瀬戸内海の吉備からやってきたと筆者は考える。吉備の物部氏と東海の尾張氏が手を組んで、日本海の出雲勢力を駆逐したというのが、出雲神話の本当の歴史だったはずだ。

弥生時代後期の日本列島の先進地域は北部九州で、バロメーターになるのは、文明の利器・鉄器の保有量だ。畿内は北部九州の足元にも及ばなかったし、吉備や出雲も、似たようなものだ。ところがヤマト建国の直前、変化が起きていた。急速に出雲が鉄器の保有量を増《ふ》やし、吉備にも流れはじめたのだ。ただし、やはり畿内には、届いていない。ここに大きな謎がある。

そこで、北部九州の首長たちは、畿内の発展を恐れて、関門海峡を封鎖し、鉄が東に流れないように出雲と吉備と密約を結んだのではないかと疑われるようになった（近藤喬一《こんどうたかいち》『古代出雲王権は存在したか』松本清張《まつもとせいちょう》編　山陰中央新報社）。

この間、吉備では前方後円墳の原型となる墳丘墓が造営され、出雲は四隅突出型墳丘墓の文化圏を越に広げた。そして二世紀末から三世紀の初頭、何もなかったヤマトの纒向（奈良県桜井市）に、前代未聞の都市が出現し、各地から人々が集まってきたのである。

この突発的な、「この指止まれ」と申し合わせたような、ヤマト建国の様子を、どう考えればよいのだろう。

ヤマトを二分した日本の流通ルート

注目すべきは北部九州の出遅れだ。出遅れではなく、出し抜かれたという言葉が、実態に近いだろう。他勢力の「北部九州だけが栄える時代を変革しよう」という目論見が垣間見《かいまみ》えるのである。

弥生時代末、瀬戸内海（吉備）と日本海（出雲）が結託し、「これからはわれわれの時代にしよう」と決意したのだろう。

まず、弥生時代後期の畿内に鉄が少なかったのは、北部九州が畿内の発展を恐れたからだろう。ヤマトの盆地が西側（瀬戸内海側）からの攻撃に頗《すこぶ》る強い天然の要害で、しかも縄文時代から東国とつながっていたという地理条件が、北部九州には脅威だったのだろう。しかもヤマトは、瀬戸内海と日本海という、二本の大動脈を利用できた。この利便性が、大きな意味を持っていよう。

もし仮に、ヤマトに鉄器が流れ込み、巨大勢力が出現すれば、北部九州勢力はヤマトを攻め滅ぼすことが困難になるばかりか、ヤマトから見て北部九州は、朝鮮半島や大陸につながる交通の要衝となり、独立を許しておくことはできない地域になる。だからこそ、弥生時代後期の北部九州が、鉄の流通を制限したという仮説は、説得力を持つし、ヤマト建国に北部九州が消極的だった理由も、はっきりとするのである。

そして問題は、ヤマト建国後、瀬戸内海勢力（吉備＝物部）と日本海勢力（出雲）が、激突したことだ。

北部九州から朝鮮半島につながる航路はふたつあって、『魏志《ぎし》』倭人伝《わじんでん》に登場する「狗邪韓国《くやかんこく》（伽耶）→対馬国《つしまこく》（長崎県対馬市）→一支国《いきこく》（壱岐《いき》）→末盧国《まつらこく》（唐津《からつ》）」とは別に、宗像大社《むなかた》（福岡県宗像市）から大島《おおしま》（筑前大島《ちくぜん》。宗像市）、沖ノ島《おきしま》（同市）を通って朝鮮半島に繋がる海の道が存在した。前者は朝鮮半島の西側の百済と、後者は東側の新羅とのつながりが強い。

注目すべきは、東側のルートだ。宗像大社では「祭神は出雲からやってきた」といい伝えられていて、出雲神も、新羅とつながっていたのだから、出雲（日本海）→宗像→沖ノ島→新羅の外交ルートが浮かびあがってくるのである。

一方の「対馬ルート」を掌握していたのは誰だろう。こちらは、「ヤマト→吉備→唐津→対馬→百済」であり、瀬戸内海から続く海の道であろう。

そして、二本の流通ルートは覇権を争い、日本海ルートが敗れ去ったということだろう。弥生時代後期に、日本海→越（北陸）→関東と続いていた流通は、ヤマト建国後、畿内→東海→関東に切り替わっている。日本海は、敗北し、零落した。これは、考古学が証明している。巨大な四隅突出型墳丘墓を築いた出雲の首長は、霧散したのである。

王家の祟りに震え上がったヤマト

ヤマトによる出雲いじめは、現実だったのである。そして筆者は、出雲の貴種たちは、南部九州に落ち延び、ヤマトを呪っていたと推理する。つまり、『日本書紀』のいう天孫降臨神話とは、ヤマトの吉備に追い落とされた出雲勢力の零落と逃亡劇にほかならなかったと考えるのである（拙著『蘇我氏の正体』）。

そこで注目すべきは、第十代崇神天皇の時代、天変地異が相次ぎ、疫病《えきびょう》が蔓延したといい、不穏な空気が流れたという『日本書紀』の記事である。

瀬戸内海勢力と東海勢力が手を組み、出雲を追い落とした……。しかし、もともとこの二つの地域と出雲は、同じ目的を持ってヤマトに集まった仲間であり、瀬戸内海と東海は、出雲を裏切り、捨てた形になった。出雲は怨みを抱いていると誰もが信じたのであろうし、出雲の国譲り神話の中で、「大きな社を建ててくれさえすれば、おていた」という出雲側の要求が特記されている。これこそ、「間違っていないのに滅ぼされた者たちの怨嗟《えんさ》の声」なのであって、彼らには祟る条件が揃っていたと考えるべきである。

当然、ちょっとした変異にも、ヤマトの人びとは敏感に反応したのだろうし、為政者たちのおびえは、尋常ならざるものだったろう。神武は零落した出雲の貴種の末裔と筆者は考えるが、崇神天皇が天変地異＝祟りに怯《おび》え、出雲神の神託を信じ切ったという話は、神武東征の場面で神武天皇が敵を呪って勝利を収めた記事に、相通じるものがある。要するに、二つの記事は、ひとつの事件をわざわざ二つの時代に分けて記録したものと察しがつく。通説は、初代神武天皇と第十代崇神天皇を同一人物とみなすが、筆者は同時代人の別人と考え、崇神が神武を迎え入れたと読む。

おそらく崇神天皇は、饒速日命か物部氏の祖の誰かだろう。崇神は出雲神・大物主神の祟りを恐れ、大物主神の子を探し出して大物主神を祀らせたと『日本書紀』にあるが、この出雲神の子こそ、神武天皇の正体であろう。このことは、三輪山の「日向《ひむかの》御子《みこ》」の話からも割り出せるのだが、詳細はのちに触れる。

そして、神武をヤマトに呼び寄せた物部氏の祖は、神武を祭祀王として擁立し、支える一方で、自らは実権を握り続けるという策に出たのだろう。

ところで、この時の神託には、「そうすれば、外交関係もうまくいく」と、唐突な発言がさり気なく混入している。本来必要のない部分であり、首をかしげざるを得ない。

しかし、現実にヤマト建国前後の混乱の中で、出雲神＝出雲勢力が朝鮮半島とつながっていて、ヤマトに誕生した政権が出雲を潰した結果、朝鮮半島との間にすきま風が吹き、この関係を修復するためにも、一度潰してしまった出雲とのパイプを、再構築することによって、朝鮮半島との関係も、改善されたという歴史があったのだろう。

そしてここで、強調しておきたいのは、ヤマト黎明期の王が、祟りや呪いや神事に大きくかかわっていたことだ。

崇神天皇を悩ませたのは「祟る大物主神」だが、古くは「鬼」を、「シコ」や「モノ」と呼び、「大物主神」の「モノ」は、「鬼」そのものだった可能性がある。鬼の親分が、大物主神であり、「神の名を負った崇神」が「鬼」に悩まされ、「鬼との共存」を選択した事実は、無視できない。

さらに、神武天皇は、敵を呪い、「まるで鬼」のような行いをしたから、ヤマトの王になれたのだ。

ヤマト建国と出雲の関係にこだわったのは、ヤマト黎明期の王の正体を知りたかったからだ。

すでにお分かり頂けたとは思うが、ヤマト黎明期の天皇の漢風諡号に「神」の名が冠せられたのは、彼らが「神のような偉大な人々」だったからではなく、「神＝鬼のような呪いをかけ、神＝鬼の祟りに怯えた天皇」だから、「神」の名がつけられたということである。

このように、ヤマトの王は、単純な独裁者ではなく、神を祀り、鬼のように恐れられた人びとだったのである。

このあたりの事情は、『魏志』倭人伝を読めば、ほぼ察しがつく。

邪馬台国《やまたいこく》の卑弥呼《ひみこ》は二世紀末から三世紀半ばにかけて実在した「倭国の中心＝邪馬台国の女王」だ。ヤマト建国の直前、あるいは、同時代人である。

彼女は多くの首長たちに「共立」され、人前に姿を見せず、館《かつ》に籠《こ》もって祭祀を執り行ったという。したがって、実権を握っていたのは卑弥呼を担ぎ上げていた首長たちだったろう。この図式は、そのままヤマト黎明期の王にも当てはまりそうだ。

天皇が恐れられた本当の理由

祭司王としての天皇は、『日本書紀』の説明に従えば、天照大神ら、皇祖神《こうそしん》の霊を継承し（日嗣《ひつぎ》）、皇祖神そのものになることで、権威を獲得したということになる。

天皇家とほぼそっくりな「先祖霊の継承」を守りつづけているのが、出雲国造家で、この家も天皇家同様、神代から続く名家で、古い伝統を守りつづけている。

出雲国造が亡くなると、死は伏せられ、遺骸を座らせ、食事の用意をし、生きているように振る舞わせる。そして、国造の後継ぎは神事を急ぎ執り行い、霊を継承する。その霊は父のものではなく、出雲国造家の祖の天穂日命のもので、このため出雲国造は、天穂日命そのものとなり、だから、死ぬことはないのだという。

このように、天皇家や出雲国造家は、祖神の霊を継承しているから、「神のような存在」なのである。

けれども、神道の根源の発想……まだ、「神道」などという言葉が生まれる以前の日本人の自然な信仰心に溯《さかのぼ》れば、「天皇は神」という発想の「神」とは「鬼」であり（事実、ヤマト黎明期の王は、神であり、鬼であった。神を恐れ、鬼を敬った）、それはなぜかといえば、「神とは大自然そのものだったから」ということになる。つまり、「天皇とは何か」という問いに対してもっとも適切な答えは、「多神教的な神」であり、要するに、「大自然そのもの」というほかはない。人々が「手にかけると恐ろしい目に遭う」と信じ続けてきた理由も、ここにある。

天皇は神であり、神は時に祟り、時に恵みをもたらす存在なのである。これは、人々が「天皇は神だから恐ろしい」と「洗脳」されてきたからそう信じたのではない。日本列島に住んでいれば、「神（大自然）はなによりも恐ろしい」ことを、身をもって知っていたからだ。神社の神々を祀り、無聊《ぶりょう》を慰め、鎮めることによって、災害を避け、豊穣を祈った。その神社の拝殿の背後には、山があり、巨木が屹《きつ》立《りつ》し、巨岩が鎮座していたが、それはなぜかといえば、神社の祀る神が、大自然そのものだったからである。「触らぬ神に祟りなし」は、まさにこのことをいっている。

つまり、神が鬼で、鬼は神であること、神は宇宙であり、大自然だということに気付けば、なぜ天皇が恐れられたのか、多神教の根本を知れば、その理由ははっきりとするのである。

ヤマト建国のカラクリ

天皇は神であるとともに鬼であった。

第十二代景行《けいこう》天皇の子・ヤマトタケルは熊襲《くまそ》征討に向かったとき、日本童男《やまとおぐな》を名乗る。「ヤマトを代表する子供」の意味だ。これは、「私こそ、鬼である」と宣言したようなものなのだ。

桃太郎や一寸法師といったお伽話《とぎばなし》で、大人が恐れ、束になってかかってもかなわない鬼を童子《どうじ》（子供）が退治してしまうのは、童子が神聖な存在と考えられていたからだ。ここで「神聖」といっているのは、「鬼」の意味を込めてある。

人並みはずれた生命力をもち、筍《たけのこ》のように成長する童子は、「人であって人ではない」のだ。彼らは鬼だから、鬼を退治できた。祭りで「お稚児《ちご》さん」が主役となって練り歩くのは、まさに稚児＝童子が鬼だからである。

雄略《ゆうりやく》天皇は葛城《かつらぎ》の一言主神《ひとことぬしのかみ》との邂逅《かいこう》説話の中で、「幼武尊《わかたけのみこと》」と名乗っている。すでに、成人し、周囲の政敵を打ち倒して即位した後の話だけに、奇異を覚えずにはいられないが、葛城の恐ろしい神に対抗するには、童子になりすますほか方法はなかったのだろう。これは、先ほどのヤマトタケルの例と、同じことである。

出雲神・大物主神を祀る大神神社《おおみわじんじゃ》の御神体は背後の三輪山なのだが、その山頂には、大物主神ではなく、「日向御子」という聞き慣れない神が鎮座する。

三輪山が太陽信仰のメッカだったらしいことも手伝って、この「日向御子」は、太陽神とかかわりのある名ではないかと、考えられている。「日に向かう」からだ。

しかし、それならば、なぜ余計な「御子」をつけたのだろう。「御子」や「稚(若)」は、「童子」の意味で、祟る恐ろしい神(鬼)である。『呪う天皇の暗号』の中で述べたように、筆者は「日向御子」の「日向」は地名をさしていると思う。すなわち、「日向御子」は、「日向からやってきた恐ろしい童子」の意味で、具体的には神武天皇を指していると推理する。

神話の中で、天照大神と素戔嗚神《すさのおのかみ》から、皇祖神と出雲神が二手に分かれているが、神武天皇のところで二つの神の系譜が統合されているという指摘があり(上山春平『続・神々の体系』中公新書)、皇祖神と出雲神は鏡で映した表と裏に過ぎないと、筆者は考える。要するに、神武天皇の祖は皇祖神であるとともに実態は出雲神で、ヤマトに裏切られ、敗れたから南部九州(日向)に逼塞《ひっそく》したのであろう。

ヤマト建国時、最初は一番力を持った者が王に立ったかも知れない。しかし、直前の主導権争いによって敗れ、一度没落した者がヤマトを恨み、たまたま天変地異と疫病の蔓延が重なって、恐れをなしたヤマトの勝者(王)が、祟る鬼をヤマトに招き寄せ、祭司王にして共立したのであり、これが神武天皇の正体ではないかと推理する。

すでに触れたように、『日本書紀』によれば、神武東征以前、ヤマトには饒速日命なる者がいずこからともなく舞い下りていて、土着の長髄彦の妹を娶り、君臨していたという。ところが、神武がヤマトにやってくると、なぜか饒速日命は、神武のヤマト入りに抵抗する長髄彦を排除し、神武を無抵抗で迎え入れ、王権を禅譲している。その理由を考えれば、神武が「祟る鬼」とみなされ、だからこそ、天変地異を鎮める力があると期待されたに違いないと思うのである。

また、六世紀の物部守屋滅亡にいたるまで、饒速日命の末裔・物部氏が朝廷で強大な発言力を有し、さらに八世紀初期に至っても、左大臣（今日的にいえば総理大臣）が輩出したように、古代ヤマトの中心につねに物部氏が立ち続けることができた。それはなぜかといえば、彼らが天皇家以前のヤマトの王で、しかも「実力がありながら王権を天皇家に譲ったから」であろう。そして、天皇を祭司王に仕立て上げ、政治の実務は、物部氏ら取り巻きの首長（豪族）たちが執り行い、ヤマトの基礎を築いたのだろう。

最下層の鬼と頂点に立つ鬼

支配ピラミッドの頂点に立つ天皇が、最下層の被差別民（鬼）と結びついたから、天皇家は永続したのだと網野善彦は推理した。これに対し今谷明は、天皇は極めて政治的な存在で、古代から独裁権力を握ったのだから、天皇と鬼の関係をもって天皇家の永続性の謎を解くことはできないと指摘した。

しかし、天皇と鬼の関係は、天皇が鬼そのものだったというところに、大きなヒントが隠されていたのだ。すでにヤマトに迎え入れられた時点で、天皇は神であり、鬼でもあった。これはむしろ当然のことで、多神教世界の神は、鬼でもあり、両面性を備えていたのである。

神のような存在の天皇に、鬼のような存在の最下層の人間が寄り添うのは、天皇が「鬼」だからで、ごく自然なことだった。

天皇を押し上げ、支えた物部氏の祖に、「シコ」の名を有する人物が登場する。伊《い》香色雄命《かがしこおのみこと》（伊《い》迦《か》賀《が》色《し》許《こ》男命《おのみこと》）や伊香色謎命《いかがしこめのみこと》（伊《い》迦《か》賀《が》色《し》許《こ》売命《めのみこと》）、内色《うつし》許《こ》男命《おのみこと》（鬱色雄《うつしこおの》命《みこと》）や内色《うつし》許《こ》売命《めのみこと》（鬱色謎命《うつしこめのみこと》）で、「シコ」は鬼を意味するのだから、物部氏も鬼のような恐ろしい一族であった。そもそも「物部」の「モノ」が、「鬼」そのものではないか。

すでに述べたように、ヤマトの埋葬文化を造り上げた者たちの中で、吉備は突出した存在だった。そして、饒速日命の末裔が王家を支え、「物部＝鬼」を名乗ったことは、無視できない。

吉野裕子《よしのひろこ》は、物部氏の信仰形態を天皇家が継承したという。そのとおりで、物部氏は「神にもっとも近い場所にいた鬼」であった。八世紀以降彼らは零落し、野に下るが、朝廷は彼らの底力を無視することはできなかった。

たとえば、日本人に多い「鈴木」という姓は物部氏同族の穂積《ほづみ》氏の枝族《しぞく》で、修験道《しゅげんどう》のメッカ・熊野《くまの》三山と深く結びついている。

修験道は反骨の信仰であり、広く庶民に親しまれたことはよく知られている。最下層の人々も、修験者の配下にあって、活躍（暗躍）したのだ。

零落した物部氏の末裔も、おそらく鬼の一族として背後から天皇に接近していったはずである。

差別される者と天皇

天皇は、宗教的な存在であった。一方で今谷明の述べるように、極めて政治的な存在であったことも間違いない。

ただ、天皇や上皇が、政争に敗れると、かならず修験道の山に逃れた事実も、無視できない。大海人皇子《おおあまのみこ》（天武天皇《てんむ》）は近江から逃れ、吉野《よしの》に籠もって、壬申《じんしん》の乱を戦う。近江の追っ手から身を挺して大海人皇子を守り抜いたのは、吉野の山の民と川の民であった。なぜか彼らは、「敗れた者に味方する」という反射神経と伝統を持ち合わせていたようなのだ。

もうひとり、後醍醐《ごだいご》天皇も、落ち延びたのは吉野であった。

神武東征に際し、神武天皇は吉野の山中で、山の民、川の民と交流している。山の民や川の民はのちの時代になると、差別されていくが、『日本書紀』も、すでに吉野の民について「尻尾が生えている」などと記録している。

差別される鬼が、零落した貴種に手をさしのべたのは、偶然ではあるまい。

なぜ、損になることを山の民、川の民はしたのかといえば、天皇は神であるとともに、鬼だったからだろう。ここに、政治力学は通用しない。だからこそ、権力者たちは、葛城、吉野、熊野といった修験道の山を恐れたのである。

このように、天皇を政治力学だけで解き明かすことは不可能だ。しかし矛盾するようだが、今谷明の述べるように、天皇が政治的存在であったことも、一方の事実である。

当初権力を持たない権威であったヤマトの王は、次第に力をつけ、五世紀後半には雄略天皇が出現し、腕力で玉座をもぎ取った。この天皇は、中央集権国家の建設を目指し、七世紀後半には、皇族だけで政治を動かすという「皇親政治《こうしんせいじ》」が始まっている。

さらに、平安時代の終わりになると、上皇が人事権を掌握し、独裁的な力を発揮したのだった。

ここまで来れば、天皇が単純な祭司王であるわけが無く、なぜこのような変化を見せたのか、知りたくなるのである。

また、これまで「天皇の正体」が議論されながら、なかなか答えが出なかったのは、この院政という異常事態や、武家の出現後の天皇にばかり気をとられていたからであった。ヤマト建国来のヤマトの王の本質がつかめて来れば、これまでに無かった新たな「天皇論」が、生まれてくるはずだ。

そして、忘れてならないのが、「呪いの書」としての『古事記』の位置づけである。

差別される秦氏は、何を企んで『古事記』編纂に加わったのだろう。ここに、天皇と古代史の大きな秘密が隠されているはずである。

第四章　「天皇家」を潰《つぶ》そうとした天皇

なぜ平安時代に権力者は何度も入れ替わったのか

天皇とはどのような王権なのか……。これは、日本史最大の謎《なぞ》である。ただ、用心しなければならないのは、ヤマト建国当初から、ひとつの定義で収まるような王権の形が完成していたわけではなかった、ということである。

ヤマトの王家と取り巻きたちは「ヤマトの王はどうあるべきか」、模索を続けながら、「時代ごとの王」を担《かつ》ぎ上げてきたのであって、「天皇の本質は何か、一言で答えよ」と問われれば、それは、「時代の変化とともに、形態を換えてきた王権」というほかはないのである。

だから、「天皇は宗教的」か、「天皇は政治的」かという二者択一は、設問そのものが間違っていたのだ。「天皇は宗教的で、しかも政治的」だったというのが、正しいのである。

「天皇」の姿が二転三転した時期がある。それが、平安時代なのだ。平安時代の天皇は宗教的で政治的で、譲位して上皇《じょうこう》や法皇（院《いん》）になった者は独裁権力を握るようになる。国風文化が華開き、雅《みやび》な貴族社会を連想しがちだが、平安時代は、意外性の時代でもあったのだ。

そしてここに、天皇の正体を知るための手がかりが隠されているのは、言うまでもない。漂泊する民や芸能の民が平安時代後期になって差別されるようになっていくのも、何かしらの意味が隠されているかも知れない。

平安京遷都《せんと》を敢行したのは桓武《かんむ》天皇だ。腐敗した南都《なんと》仏教と訣別《けつべつ》し、政治を刷新した名君として知られる。この時代、天皇家と藤原《ふじわら》氏は、蜜月《みつげつ》を迎えていて、両者の関係がうまくいっていたからこそ、桓武天皇は力を発揮し、親政を行なうことができたのだろう。

しかし、藤原氏が天皇家に女人を送り込み、産まれ落ちた子が即位し出すと、外戚《がいせき》の地位を利用して、藤原氏は強大な権力を握っていくようになる。

貞観《じょうがん》八年（八六六）閏《うるう》三月、朝堂院《ちょうどういん》の正門（応天門《おうてんもん》）が焼け落ちる事件があり、密告によって伴善男《とものよしお》が伊豆《いず》に流され、紀夏井《きのなつい》もとばっちりを受けて流罪《るざい》となった。冤罪《えんざい》だった可能性が高く、藤原良房《ふじわらのよしふさ》の陰謀によって、伴《とも》（大伴《おおとも》）氏や紀《き》氏といった「反藤原派の中心勢力」や「キレ者たち」が、排除された。これがいわゆる応天門の変で、このあと藤原氏による一党独裁の時代がやってくる。やがて藤原北家《ふじわらほっけ》は摂関政治《せっかんせいじ》をはじめ、絶頂期を迎える。

藤原道長《ふじわらのみちなが》は、

この世をば我が世とぞ思ふ望月《もちづき》の 欠けたることもなしと思へば

と歌い上げ、わが世の春を謳歌《おうか》したのだった。

ただし、この直後から、藤原氏の権勢にかげりが見え始める。天皇は譲位後上皇となって院政《いんせい》を敷き、強大な権力を握るようになったのである。

ところが、上皇の親政は長続きしなかった。平安時代末、武士が台頭し、鎌倉幕府が出現する。次第に実権は、武士の手に渡っていくのである。

なぜ平安時代、権力者はめまぐるしく入れ替わり、天皇の立ち位置も変化していったのだろう。

なぜ武士は天皇を潰さなかったのか

はたして、この平安時代の権力闘争は、単純な政争だったのだろうか。つまり、もし純粋に藤原氏と天皇、そして武士が入り交じり、権力争奪戦を展開していたのなら、なぜ天皇は潰されなかったのかという、新たな謎が生まれる。なぜ武力と権力を握った武士たちは、天皇を潰しにかかろうとはしなかったのだろう。

ここでまず指摘しておきたいのは、天皇も武士も、権力闘争をしているのではなく、「藤原氏の圧政から解放されたい」と思っていた節がある、ということなのだ。

藤原氏は桓武天皇に藤原乙牟漏《ふじわらのおとむろ》を娶《めと》らせ、産まれ落ちたふたりの御子《みこ》を即位させた。第五十一代・平城《へいぜい》天皇と第五十二代・嵯峨《さが》天皇である。

こうして外戚の地位を確保した藤原氏は、律令《りつりよう》（法）と天皇（権威）のふたつを支配することによって、盤石《ばんじやく》な権力を握ることに成功したのである。

ところが、ひとたび藤原氏が外戚の地位を逃すと、それが偶発的であったとしても、「藤原の箍《たが》がはずれた天皇」は、かならず暴走した。藤原と対立するような行動を採っていくのである。

もっとも分かりやすいのは、第五十九代宇多《うだ》天皇だ。母は、班子《はんし》女王《じよおう》で、藤原氏ではない。宇多天皇は藤原氏全盛期にもかかわらず、菅原道真《すがわらのみちざね》を大抜擢《ばつてき》し、改革事業を推進させ、道真は娘の衍子《えんし》を天皇に嫁がせている。しかも宇多天皇は親政を目論《もくろ》んだ。

宇多天皇は、即位してすぐ、北家の藤原基経《ふじわらのもとつね》との間に、いさかいを起こしている。これがいわゆる「阿衡《あこう》事件」と呼ばれるもので、基経が関白《かんぱく》に任ぜられた時のやりとりで、基経はヘソを曲げ、半年間出仕を拒否したのだ。これは、政治的駆け引きで、宇多天皇が寵愛《ちょうあい》していた橘広相《たちばなのひろみ》は、苦境に陥った。

宇多天皇は藤原を恨んだし、藤原基経にすれば、「藤原腹《ふじわらばら》でない宇多天皇」に、先制パンチを食らわせることで、政局を優位に持っていこうと考えたのだろう。事実、この政争、明らかに基経が勝利している。だから宇多天皇は、藤原基経が死ぬと、あたかも鬱憤《うっぷん》を晴らすかのように、菅原道真を重用していったのである。

藤原基経の子・時平《ときひら》は菅原道真を敵視し、追い落としの陰謀を仕掛ける。結局菅原道真は、大宰府《だざいふ》に流されてしまったのだが、少なくとも宇多天皇は、藤原氏の傀儡《かいらい》にはならなかったのである。

なぜ、母が藤原でないというだけで、天皇は藤原と対立するようになったのだろう。外戚の地位をはずれたとはいっても、朝堂を牛耳《ぎゅうじ》っていたのは藤原氏で、広大な土地を支配し、財を蓄えていたのだから、藤原氏に反抗して荒波を立てるのは、蛮勇といっても過言ではなかった。また、祖父、祖母の代まで溯《さかのぼ》れば、かならず藤原の血に行き着くのだから、彼らが完璧《かんぺき》に藤原の枠組みから逃れられたわけではなかった。しかし、外戚が藤原氏でない天皇は、ほぼ間違いなく、「はめをはずした」のだ。挙げ句の果てに出現したのが、院政であった。

武士の台頭も、よく似たところがある。

源氏《げんじ》や平氏《へいし》は、天皇の末裔《まつえい》だ。臣籍降下《しんせきこうか》して、武士になって地方に飛ばされた。なぜ皇族の地位に留まらなかったかというと、国家財政が逼迫《ひっぱく》し、多くの皇族を養っておくことができなかったこと、そして、もうひとつ、藤原氏が外戚の地位を確保するためには、「皇族出身の女人」を、なるべく天皇から遠ざける必要があったのだ。つまり、藤原の血を引かない皇族は、藤原氏にとって邪魔だったのである。

地方に飛ばされた武士は、藤原氏に利用されつつも、次第に藤原氏を利用するようになり、中央に返り咲くと、次第に反藤原の旗手に育っていくのである。

いったい、天皇と武士たちは、なぜ藤原と対立するようになったのだろう。

心底藤原氏を嫌っていた天皇家

天皇家は心の底から藤原氏を嫌っていたのではないか……。そう思える節がある。

なぜそのようなことが言えるかというと、ひとつの理由に、『竹取物語《たけとりものがたり》』の中で、天皇が「藤原の世で生きているのはつらい」と漏らしているからである。

どういうことか、説明しよう。

『竹取物語』は日本最古の物語として知られている。作者は不明だが、おそらく紀貫《きのつら》之《ゆき》ではないかと考えられている。紀氏は古代を代表する大豪族だったが、応天門の変（八六六）で藤原氏に苦汁を飲まされ、没落していた。

『竹取物語』のストーリーは、五人の貴公子がかぐや姫に求婚するも、無理難題を押しつけられ、結局全員袖《そで》にされ、最後に帝《みかど》が入内《じゅだい》を要請するも、かぐや姫は月の都に帰ってしまうというものだ。

江戸時代の国学者・加納諸平《かのうもろひら》は、『公卿補任《くぎょうぶにん》』の文武《もんむ》五年（七〇一）の閣僚名簿が、『竹取物語』に登場する五人の貴公子にそっくりだと指摘している。たしかにその通りなのだが、ひとりだけ、似ているがそっくりではない人物がいる。それが「くらもちの皇子」で、藤原不比等《ふじわらのふひと》に該当する人物だ。藤原不比等の母が「車持氏《くるまもち》」の出身で、「くるまもち」が「くらもち」にかろうじて似ているのだ。

ただし通説は、「そっくりでないのだから、藤原不比等ではない」と、加納諸平の考えを否定する。しかし、考えが浅い。

『竹取物語』は、この「くらもちの皇子」をもっともずる賢く、嘘《うそ》をつく人物に描いていく。読んでいて敵意を感じるほど、卑怯《ひきょう》な人物という設定である。『竹取物語』は、当時の最高権力者である藤原氏を糾弾する目的で書かれたのだろう。

政敵を次々に葬《ほうむ》っていった藤原氏だから、彼らの悪口を書くのは命がけであったに違いない。だから物語の中で、藤原不比等に当てはまる人物だけ、「似ているがそっくりでない」ことに、むしろリアリティを感じるのである。

月の都から迎えに来た使者はかぐや姫に、こんな「穢《きたな》き所《ところ》」に、長居をするものではないと忠告する。使者のいう「穢い」というのは、藤原の天下をさしている。

それよりもなによりも、ここで強調しておきたいのは、かぐや姫が帝のために置いていった不老長寿の薬を、帝は「かぐや姫のいないこの世で、なぜ長生きする必要があるのか」といい、焼いてしまうのである。

これは象徴的な事件で、「穢き所」には、もういたくない、という帝の心の叫びが聞こえてくるのだ。不老長寿の薬とは、天皇家の永続性の象徴のような気がしてならない。天皇は、藤原の世に嫌気がさしていたのではなかろうか。

なぜこのようなことを言い出すのかというと、奈良時代に、そっくりな天皇が実在したからである。それが、聖武《しょうむ》天皇と娘の称徳《しょうとく》（孝謙《こうけん》）女帝である。

天皇家を潰そうとしていた天皇

称徳天皇といってもあまり馴染《なじ》みはないかも知れないが、僧・道鏡《どうきょう》とねんごろになり、天皇に立てようとした独身女帝といえば、お分かり頂けるだろうか。天皇みずから、皇族以外の者を天皇に押し上げようとしたのだから、驚天動地の事件である。

後世称徳天皇は、格好のスキャンダルのネタになって、面白おかしく語られていくのだが、本当のところはどうだったのだろう。艶笑譚《えんしょうたん》が言うように、称徳天皇は道鏡との肉体関係に溺《おぼ》れたのだろうか。

称徳天皇は、恵美押勝《えみのおしかつ》（藤原仲麻呂《ふじわらのなかまろ》）の反乱を鎮圧した人物として知られる。この事件の背景に、多くの問題が隠されている。

恵美押勝とは藤原不比等の孫の藤原仲麻呂のことで、聖武天皇と暗闘をくり広げ、引きずり下ろすことに成功している。そして、聖武の娘を、皇位につけた。これが、孝謙天皇（のちに重祚《ちょうそ》して称徳天皇になる）であった。孝謙天皇は聖武天皇と光明子《こうみょうし》の間の娘で、光明子は藤原不比等の娘だった。

天平勝宝《てんぴょうしょうほう》八年（七五六）五月、聖武上皇が崩御《ほうぎょ》されると、聖武の遺詔《いしょう》に従い、孝謙天皇の皇太子には、天武《てんむ》天皇の孫で、反藤原派の橘諸兄《たちばなのもろえ》が後見役として控える道祖《ふなど》王《おう》が指名された。ところが天平勝宝九年（七五七）正月、橘諸兄が亡《な》くなり、三月には道祖王は難癖をつけられて廃され、藤原仲麻呂の息のかかった大炊王《おおいおう》が皇太子に担ぎ上げられた。すべて、藤原仲麻呂の陰謀である。

藤原仲麻呂は長子・真従《まより》の死後、真従の妻を大炊王にあてがい、自宅で子供のように囲い込んでいたのだった。

同年七月、橘奈良麻呂《たちばなのならまろ》の変が勃発《ぼっぱつ》する。藤原仲麻呂に反発する人々が、謀反《むほん》を企んでいると密告があったのだ。謀反人たちはあっという間に捕らえられ、死刑、流刑《るけい》にあった者計四四三人にのぼった。反藤原派はここに壊滅したのである。

こうして独裁権力を握った藤原仲麻呂は、大炊王を即位させ（淳仁《じゅんにん》天皇）、恵美押勝の名を下賜《かし》されると、一家だけで朝堂を牛耳ってしまった。淳仁天皇には、「朕《わ》が父《ちち》」と呼ばせ、他の藤原氏も閉口するほどの専横をくり広げた。

恵美押勝の失脚は、称徳天皇（この時点では孝謙上皇）と淳仁天皇の不和が発端となった。道鏡との関係を叱責《しっせき》された孝謙上皇は、腹に据えかねたのか、天平宝字《てんぴょうほうじ》六年（七六二）六月、朝堂に官人を集め、次のように淳仁天皇を責める宣命を読み挙げたのである。

淳仁天皇はうやうやしく従うことなく、やってはならぬことをし、言ってはならぬことを言った。そのようなことを言われる私ではない。だから、政事《まつりごと》の小事は淳仁に任せ、国家の大事については、私が行なう。

こうして、両者は一触即発の危機を迎え、天平宝字八年（七六四）結局他の藤原氏からも見放され孤立無援となった恵美押勝は乱を起こし、鎮圧される。その時称徳天皇が淳仁天皇に向かって、次の詔《みことのり》を発せられた。称徳女帝の父・聖武の遺詔だという。

「王を奴《やっこ》（奴婢《ぬひ》）と成しても、奴を王と言っても、私の好きなようにすればよい。たとえのちに誰かを帝に立てたとしても、礼を失して従わぬようであれば、これを廃せばよいと、おっしゃった」

強烈な言葉である。天皇を廃し奴にするのも、奴を王にしても、私の勝手だと言っている。

おそらく、聖武天皇が娘に言い残したのではあるまい。咄嗟《とっさ》に、女帝の口からついてでたに違いないのである。そして問題は、このあと称徳天皇が、実際にどこの馬の骨とも知れぬ道鏡を、天皇に立てようと企ててしまったことにある。

ひょっとして称徳女帝は、「藤原の傀儡になるくらいなら、天皇などない方がまし」と考えていたのではあるまいか。

長屋王《ながやおう》という藤原氏の天敵

称徳天皇の目論見は、宇佐八幡託宣《うさはちまんたくせん》事件によってくじかれた。「道鏡を天皇にすれば、天下太平となる」という八幡神の託宣が宇佐から都にもたらされ、確認のために和気清麻呂《わけのきよまろ》が宇佐に遣わされた。ところが和気清麻呂は「日嗣《ひつぎ》はかならず皇族を」という異なる託宣を都にもたらしたのだった。

なぜ天皇自身が、「王位を王家以外の人間に」と考えたのだろう。これは、王家の自殺行為ではないか。

謎解きのヒントは、父親の聖武天皇（首皇子《おびとのみこ》）の時代の王家と藤原氏の間に交わされた暗闘に隠されている。そこで、聖武天皇と藤原氏の関係を追ってみよう。

聖武天皇の父は文武天皇で、母は宮子《みやこ》だ。文武天皇は天武天皇の孫で、文武の父親は皇太子に立ちながら即位することなく亡くなった草壁皇子《くさかべのみこ》である。

聖武天皇は絵に描いたような「藤原の子」であった。母・宮子は藤原不比等の娘。皇后となる光明子も、藤原不比等の娘であった。聖武天皇は、史上初の藤原腹の天皇だったのである。

天皇の外戚になることで安定的な権力を確保しようと目論んだ藤原不比等の悲願が、聖武天皇の即位であった。藤原千年の基礎固めは、聖武天皇の即位が第一歩だったと言っても過言ではない。ところが、聖武天皇はなぜかある時期を境に、藤原氏に牙《きば》をむき、藤原氏のコントロールが効かなくなっていく。聖武天皇と光明子の間に生まれた称徳天皇も、父の遺志を継いだように、藤原氏と闘う。光明子は藤原不比等の娘なのだから、称徳天皇も、文句なしの「藤原の子」であった。

ここに、大きな秘密が隠されていたと思えてならない。なぜ「藤原の子」として即位した聖武天皇と称徳天皇が、藤原氏と敵対していくことになったのだろう。天皇という王権の謎を解く鍵のひとつが、ここにある。傀儡として藤原氏に利用されていた天皇が、反旗を翻《ひるがえ》したのだ。その経緯と理由を探っておく必要がある。

首皇子が即位したのは神亀《じんき》元年（七二四）で、この時すでに藤原不比等はこの世の人ではなかった。その代わり、四人の遺児（藤原武智麻呂《ふじわらのむちまろ》、房前《ふささき》、宇合《うまかい》、麻呂）たちが、権力独占を狙《ねら》って奔走したのだった。

ただし、彼らには邪魔者が立ちはだかった。それが、反藤原派の皇族・長屋王である。藤原不比等が亡くなると、次席の地位にあった長屋王が、自動的に朝堂のトップに立った。

中臣鎌足以来、藤原氏は陰謀をくり返し、手段を選ばぬ手口で多くの豪族や皇族を葬ってきたから、恨みを買い、敵が多かった。その恐怖心も手伝って、藤原氏はさらに凶暴な手段で政敵を排除してきた。これは悪循環である。

そんなこともあって、反藤原派は少なくなかったし、彼らは藤原氏の血を引かない長屋王に期待するところ大であった。当然、藤原四兄弟は「反藤原派の旗手」が朝堂のトップに立ってしまったことに、震え上がったのである。

もちろん、彼らは手をこまねいていたわけではない。まず手始めに、一介の参議にすぎない藤原房前を「内臣《うちつおみ》」に就任させるという「禁じ手」に出た。

藤原不比等の死の翌年の養老《ようろう》五年（七二一）、元正天皇は藤原房前を、律令の規定にはない内臣に任命したのだ。詔の中で、元正天皇は次のように述べている。

「家に憂《うれ》いがあれば、それが大事であっても小事であっても油断ができない。だから藤原房前は内臣となって内廷と外廷にわたってはかりごとをめぐらし、天皇の命令と同等の重みをもった言葉で、天皇を助け、長く国を安定させるように」

この時長屋王は右大臣《うだいじん》であった。その長屋王を差し置いて、房前は元正天皇の鶴《つる》の一声で「天皇と同等の重み」を獲得してしまったのだ。聖武天皇即位と同時に長屋王は左大臣《さだいじん》に登りつめるが、房前が内臣になってしまった以上、左大臣といえども、名誉職に過ぎなくなってしまうのである。

なぜここまでして、藤原氏は長屋王の手足を縛ってしまったのだろう。

藤原四兄弟にとって脅威だったのは、長屋王の家族がみな「有力な皇位継承候補」だったことである。

長屋王は天武天皇の最年長の孫だ。太政大臣・高市皇子《たけちのみこ》と天智《てんじ》天皇の娘・御名部《みなべの》皇女《ひめみこ》の間に生まれた。また、正妃は吉備内親王《きびのひめみこ》で、この女性は草壁皇子の娘で文武天皇の妹、しかも吉備内親王には、蘇我の血が流れていた。蘇我氏といえば、蘇我入鹿暗殺によって没落したというイメージがあるが、依然天皇家に次ぐ権威を保ち続けていた。したがって、吉備内親王の血統は、ずば抜けてよく、夫婦そろって、有力な皇位継承候補なのだった。さらに、この夫婦から生まれた子供たちも、立派な皇位継承候補であり、反藤原派が担《かつ》ぎ上げる危険性は、十分備わっていた。

長屋王と比べて聖武天皇は、天皇と豪族（藤原氏）の間の子なのだから、少なくとも母方の血統という点に関しては、聖武天皇は見劣りしたのである（この時代、まだ藤原氏の権威は、確立したわけではない。藤原氏は聖武天皇を即位させて、ようやく蘇我氏を乗り越えることができたのだ）。

藤原氏の陰謀によって一族滅亡に追い込まれた長屋王

長屋王は、藤原氏の圧力に屈しなかった。神亀元年（七二四）二月六日の勅《ちょく》に、噛《か》みついていくのである。その勅とは、次のようなたあいもないものだ。

勅《みことのり》して正一位藤原夫人《ふぢはらのぶにん》を尊《たふと》びて大夫人《だいぶにん》と称《まを》す

ここに言う藤原夫人とは、聖武天皇の母で藤原不比等の娘の宮子だ。宮子に尊称を与え「大夫人」とする、というのである。

すると三月二十二日、左大臣長屋王らが、異議を唱えた。

「藤原夫人を大夫人と呼ぶようにとありましたが、つつしんで法（公式令《くしきりよう》）をみると、

［天皇の母の称号には皇太后、皇太妃《こうたいひ》、皇太夫人《こうたいぶにん》の三つがあって、上から順に、皇后、皇族出身の妃、豪族出身の夫人を指して呼んでいる。これに照らし合わせれば、藤原夫人は］皇太夫人と呼ぶべきで、勅に従えば〝皇〟の字が欠け、逆に法に従えば、大夫人と称すこと自体が違法になってしまいます。われわれはいったい、勅と法のどちらを守ればよいのか、ご指示を仰ぎたい」

これは正論であり、結局勅は訂正され、「文書で記すときは皇太夫人とし、呼ぶときは大御祖《おおみおや》とするように」ということになった。

この長屋王の発言の中に、「天皇家の本質」にまつわる重要な意味が隠されていたのだが、それが何を意味するかは、次章で再び触れる。ここでは、長屋王滅亡事件のあらましを述べるに留める。

さて、勅の撤回は、藤原氏にとって屈辱的な事件であったし、いくら天皇を傀儡にし藤原房前を内臣としても、長屋王がいる限り、何もかも藤原氏の思い通りにことは進まないことははっきりとした。こうして長屋王は、命を狙われるようになったのだ。

神亀六年（七二九）二月十日、次のような密告があった。

「左大臣長屋王は、密《ひそ》かに左道《さどう》を学び、国家を傾けようとしております」

すると藤原宇合らが六衛府《ろくえふ》の兵を率いて長屋王の館を囲み、翌十二日、長屋王は自尽した。また、一族も自ら首をくくり、滅びたのである。

ちなみに長屋王の子らは、「蘇我系皇族腹」「蘇我氏腹」「藤原氏腹」に分けられるのだが、「藤原氏腹」の御子だけは許された。「蘇我」の血を引く者は、皆殺しにされたのである。

密告がウソだったことは、『続日本紀』も認めている。長屋王を滅亡に追い込んだのは、藤原氏の陰謀である。

なぜ聖武は関東行幸を敢行したのか

長屋王の変によって、藤原四兄弟は、当面の危機を回避することができた。邪魔者が消え、わが世の春を謳歌していたのだ。ところが八年後、彼らには悪夢が待ち構えていた。

天平九年（七三七）、天然痘《てんねんとう》が大流行し、四兄弟は病魔に襲われ、あっという間に全滅してしまったのだ。巷間《こうかん》では「長屋王の祟《たた》り!!」と騒がれたようだが、『続日本紀』は、祟りに関しては、何も記録していない。

そして権力の空白が生まれ、橘諸兄、吉備真備《きびのまきび》、玄昉《げんぼう》といった反藤原派が、一気に台頭する。また、もっと大きな出来事は、聖武天皇が「藤原の子」から、「反藤原派」に豹変《ひょうへん》し、暴走することとなのだ。

最初の事件は、天平十二年（七四〇）十月の関東行幸である。ちなみに、古代の「関東」は、不破関《ふわのせき》（関ヶ原）など三関の東側の地域（東国）をさしている。

反藤原派の台頭に業を煮やした藤原広嗣《ふじわらのひろつぐ》は、九州で反乱を起こし、玄昉や吉備真備の排斥を求めるが、そのさなか、聖武天皇は四百の兵を率い、謎の関東行幸をはじめたのである。

聖武天皇は次のように告げている。

朕《われ》（聖武天皇）は、思うところがあって、しばらく関東に行幸しようと思う。時期が悪いとはいえ、やむを得ない。（広嗣征討の）将軍はこれを聞いても驚いたり怪しんだりしないでほしい。

聖武天皇は伊賀《いが》、伊勢《いせ》、美濃《みの》、不破（関ヶ原）、近江《おうみ》を巡り、山背国《やましろのくに》の恭仁京《くにきょう》にいたり、ここを都に定めてしまう。その後、紫香楽宮《しがらきのみや》や難波宮《なにわのみや》を転々とし、平城京《へいじょうきょう》に還都したのは、天平十七年（七四五）五月であった。

なぜ聖武天皇は、混乱が収まらないなか、平城京を捨てて関東行幸を敢行してしまったのだろう。

主な理由はふたつあるように思う。

まず第一に、聖武天皇は、「藤原の子」を脱皮し「天武天皇の子」になったことをアピールしたかったのではあるまいか。すでに述べたように、天武天皇は、反藤原であった。このあとの聖武天皇の行動パターンは、明らかに「反藤原派」のものであり、持統天皇と藤原不比等が願った「持統（天智）系＋藤原の政権のための王家」の構図の破壊を、聖武天皇が目指したのではなかったか。

関東行幸のルートが天武天皇の壬申の乱（六七二）における行軍の足跡をほぼなぞっているのは、壬申の乱で藤原氏が没落した歴史を、聖武天皇が知ったからだろう。

そして第二に、「藤原の子」からの脱皮とかかわりがある話だが、平城京そのものが、「藤原のための都」だった。だから聖武天皇は、「藤原から離れるには、平城京から離れなければならない」と考えたのだろう。

平城京遷都を敢行したのは藤原不比等だった。奈良盆地南部の蘇我氏の強い地盤を藤原不比等は嫌い、盆地北側に都城を築いたのだ。しかも平城京は左右対称ではなく、北東の隅に出っ張りがある。これが外京《げきょう》で、藤原氏が外京の高台を独占した。近鉄奈良駅東側の興福寺《こうふくじ》一帯がまさに、藤原氏の土地で、天皇のおわします「平城宮」を見下ろす場所を手に入れることによって、「誰が本当の平城京の主なのか」を、天下に見せつけたのだった。

実際平城京でいったん争乱が始まれば、外京の高台を砦《とりで》にした藤原氏が、絶対的に有利である。

聖武天皇は、この「藤原氏のための都」「天皇家にとっての平城京の地の利の悪さ」を嫌ったのだろう。

東大寺建立の真の目的

藤原氏が独占する場所よりもさらに高い場所に、聖武天皇は東大寺を建立している。これも、「藤原」を意識した「布石」と考えられる。

東大寺建立を思い立った聖武天皇は、天平十五年（七四三）冬十月十五日、大仏発願《だいぶつほつがん》の詔を発する。

聖武天皇が建立した東大寺

天下の富と権力を持っているのは朕（私）だ。その富と権力を使い、大仏を造ろうと思う。

目を疑うような傲慢《ごうまん》な発言ではないか。東大寺は天皇家の寺であり、長い間、「天皇権力の象徴」とみなされてもきた。

しかし、この詔には、つづきがある。

天下の富、権勢を持つのは朕である。だから、この富と権勢をもって、尊き像（盧《る》舎《しゃ》那《な》仏《ぶつ》）を造ろうと思う。事を成すのは簡単だろう。しかしそれでは、造仏の理念にそぐわない。だからといって、無闇《むやみ》に人を使役し苦労させては、神聖な意味を理解してもらえないだろう。不満を持ち非難する人が出て、罪人になってしまうことを恐れる。だから、造仏事業に共感し後見しようとする者は、至誠をもち、各々が幸福を招く気持ちで、毎日三度盧舎那仏を拝むべし。自ら念じて、盧舎那仏を造るべし。もし、さらに、一枝の草、ひとつかみの土をもって像を造ろうと願う者がいれば、これを許せ。各地の役人は、これを根拠に百姓《おおみたから》を酷使してはならない。寄付を強要してもならない。

それまでの仏教寺院は、天皇や大豪族の財力で建立された。ところが聖武天皇は、「みんなの力を合わせて、大仏を造立しようではないか」と呼びかけたのだ。これは画期的な出来事であった。

聖武天皇がなぜこのような寺院を建立しようと考えたかというと、天平十二年（七四〇）、河内国大県郡《かわちのくにおおかたのこおり》を訪ねた聖武が、智識寺《ちしきじ》に感動し、「私もこのような寺を造ってみたい」と一念発起したのだ。智識寺とは、「善知識《ぜんちしき》（智識）」らが力を合わせて造った寺だった。「善知識」とは、出家はしていないが、人々に仏の道を説き、広め、信仰を勧める人のことで、要するに庶民であり、寺を造る有志のことだ。

また聖武天皇は、東大寺建立のために、優婆塞《うばそく》（乞食坊主《こじきぼうず》）を活用し、彼らを束ねる行基《ぎょうき》を、大抜擢《ばってき》した。

藤原氏全盛時代、優婆塞たちは平城京の東側の山に集まり、気勢をあげていた。数千人、多いときで一万人というから、驚異的な人数である。当然、朝廷は彼らを取り締まった。優婆塞は与えられた土地を手放し、勝手に僧の格好をして税も払わず漂泊する人たちで、優婆塞が増殖すれば、律令制度は崩壊する。けれども行基は、彼らを救済した。当然、弾圧の対象となったのである。

しかし聖武天皇は、優婆塞に手をさしのべたのだ。これも、藤原氏に対する当てつけであり、それよりも、聖武天皇には、「みなの力を結集しよう」という思いが強かったのだろう。

なぜ光明子は聖武に「藤原の正体」を教えてしまったのか

「天皇は藤原氏に支配されながらも、藤原氏を毛嫌いしていたのではないか」

この疑念を追っているうちに、われわれはようやく、聖武天皇というヒントを手に入れた。この人物は、「藤原氏が必死に造り上げた藤原の子」であったにもかかわらず、藤原の子でいることを拒絶したのである。聖武天皇の娘が、「天皇など無くてもよい」と言い出した称徳天皇だから、聖武天皇の「藤原離れ」は、大きな意味を持っていよう。

それにしても不思議に思うのは、なぜ藤原の人脈に囲まれ「藤原の子」として育てられた聖武天皇が、反藤原派に豹変したのか、ということである。

ヒントはどこにあるのだろう。鍵《かぎ》を握っていたのは、「祟りの恐怖」と、「女人たちの秘められた思い」ではなかったか。

すでに触れたように、長屋王の変から八年後、藤原四兄弟はあっという間に天然痘の病魔に冒され、全滅した。誰もが、「長屋王の祟り」を連想しただろうし、『日本霊異記《にほんりょういき》』には、仏教説話の形で長屋王の祟りが記されている。

光明子ら「藤原の女たち」は、このころ、必死になって法隆寺《ほうりゅうじ》を祀っている。寄進を行ない、東院伽藍《とういんがらん》（夢殿《ゆめどの》）を建立したのだ。理由は簡単なことで、長屋王や吉備内親王とその子らを「蘇我系」とみなし、法隆寺で「蘇我の恨み」をまとめて祀ろうと考えたからである。

長屋王の祟りを恐れた光明子は、藤原不比等から譲り受けた邸宅を寺にし、慈善事業を行った。これが法華滅罪之寺《ほっけめつざいのてら》（奈良市法華寺町）で、光明子は「積善《せきぜん》の藤家《とうけ》」を唱え、善行を積むことによって藤原氏の罪を贖《あがな》おうとした気配がある。

天平九年（七三七）十二月二十七日、聖武天皇の母・宮子は、皇后宮《こうごうぐう》（光明子の館）で僧・玄昉に看病してもらうと、慧然《けいぜん》として開悟《かいご》したという。しかも、たまたま訪ねてきた聖武天皇と再会したのである。

宮子は聖武天皇を産み落とすと「幽憂《ゆうゆう》に沈み（精神を患って）」、隔離されていたのだ。だから、母子は三十数年ぶりの再会だったのである。

おそらく、宮子の病気はウソであろう。藤原不比等は、葛城《かつらぎ》の賀茂《かも》氏の女から生まれた宮子を、信用していなかったのだろう。つまり、大切な藤原の子＝首皇子に、「本当の歴史」を吹き込まれ、「藤原氏が権力を握るまで何をやってきたのか」を、知られたくはなかったのだろう。

ところが藤原四兄弟が滅亡し、藤原氏の圧力が消えた段階で、光明子は姉の宮子を解放したのである。

それにしても、光明子も藤原不比等の娘なのだから、聖武天皇に「本当の藤原の怖さ」を教える必要は無かったのだ。この「宮子の悲劇」を知ってしまったからこそ、聖武天皇は「反藤原派」に転向した可能性も高いのである。

光明子は藤原不比等の娘ではなく県犬養三千代《あがたいぬかいのみちよ》の娘だった

奈良時代の歴史には謎が多いが、解き明かすヒントを握っていたのは、女人の系譜なのである。

光明子は藤原不比等の娘だから「藤原の女」とみなすのは、短絡である。母親が県犬養三千代だったことを忘れてもらっては困る。

県犬養（橘《たちばなの》）三千代は藤原不比等の妻だが、最初美努王《みののおおきみ》に嫁いでいた。美努王は壬申の乱で大海人皇子方についた人物だ。

ところが藤原不比等は、美努王が大宰府に赴任している隙に、県犬養三千代を寝取ってしまった。

県犬養三千代は才媛《さいえん》で、後宮《こうきゅう》に仕え、人脈を広げていた。文武天皇、元明天皇、元正天皇と親しかったのだ。藤原不比等は、後宮を思い通りに動かすために、県犬養三千代を奪い、利用したのである。

ただし、県犬養三千代はやり手の女で、むしろ県犬養三千代が藤原不比等を選んだのではないかとする考えもある（義江《よしえ》明子《あきこ》『県犬養橘三千代』吉川弘文館）。さらに、県犬養三千代を誠実そうな顔をしているが、「ほんとうの悪人」で「かくされた奸悪《かんあく》」だとする指摘もある（杉本苑子《すぎもとそのこ》『歴史を彩る女たち』新塔社）。藤原不比等の虎《とら》の威を借りて、好き放題やったというイメージだろうか。

しかし筆者は、別の考えを持つ。

県犬養三千代は藤原不比等の、「言うことを聞かない政敵は、あらゆる手段を用いても、叩《たた》きつぶす」「邪魔になったら葬り去る」というやり方を知っていたからこそ、家族を守るために、仮面を被り、藤原不比等に「従った振り」をしつづけたのではあるまいか。

たとえば、県犬養三千代は「橘姓」を下賜されるが、美努王との間の子・葛城王は、臣籍降下した際、母の「橘」を継ぎ、「橘諸兄」を名乗っている。もし仮に、県犬養三千代が父を裏切り、藤原不比等と懇《ねんご》ろになっていたのなら、葛城王は意地でも「橘姓」を継ぐことはなかっただろう。そうではなく、母の本心を熟知していたからこそ、橘諸兄を名乗り、反藤原派の旗手として、活躍したと考えられる。

県犬養三千代が無理矢理美努王から引き裂かれ、藤原不比等を恨んでいたと考えれば、多くの謎が解けてくる。

すでに触れたように、藤原不比等と県犬養三千代の間の子が光明子だ。これまで、光明子は「藤原の繁栄を築いた女人」と信じられてきたが、聖武天皇を「反藤原の天皇」に仕立て上げたのは、光明子である。宮子を聖武天皇に引き合わせ、か弱き女人を三十数年間幽閉してきた「藤原の狂気」を、暴露してみせたのだ。

光明子には、どこか鉄の女のイメージがある。「楽毅論《がくきろん》」に残された「藤三娘《とうのさんじょう》」の署名の力強さもその一因だろう。

しかし、『万葉集』巻八―一六五八の光明子の歌の中に、光明子の本当の姿が見えるような気がしてならない。夫・聖武天皇に奉《たてまつ》った歌である。

わが背子《せこ》と二人見ませば幾許《いくばく》かこの降る雪の嬉《うれ》しからまし

夫聖武と二人並んでみたら、このふる雪もきっとうれしいでしょうに、というのである。

藤原の権力を継承した光明子には、似つかわしくない歌である。権力者の言葉としては、あまりにも無邪気で、用心というものがない。このたおやかな愛情表現は、母譲りだったのではないかと思えてくるのである。もちろん、美努王を慕い続け、苦しみ続けた母の本当の姿を、光明子は知っていたのだろう。

光明子は藤原不比等の娘である以前に、県犬養三千代の娘であった。だからこそ、宮子を救い出し、聖武天皇を純粋に愛し、「藤原氏のしでかしてきたこと」を、聖武に教え、藤原の罪を贖おうとしたのである。

皇帝になろうとした藤原氏

藤原不比等や聖武天皇と光明子の話を長々としたのは、称徳天皇のご乱心の意味を解くためだった。

聖武天皇と光明子の間に生まれた女子が、阿倍内親王《あべのないしんのう》で、即位して孝謙天皇、重祚して称徳天皇となる。

なぜ称徳天皇は、皇位を道鏡に譲ろうと考えたのだろう。王家自身が王家を滅ぼそうとしたのはなぜだろう。それは突発的な事件ではなく、長い歴史が背景に横たわっていたのではないかと、筆者は考える。天皇家と藤原氏の葛藤《かっとう》である。

ここまでの話で、「藤原の子」だった聖武天皇が、「反藤原」に転向した理由も、はっきりとした。問題は、聖武天皇が譲位したあと、孝謙天皇、称徳天皇と藤原の間に、どのような駆け引きがあったのかである。

そこで、この時代権力を独占した恵美押勝（藤原仲麻呂）の行動に注目すると、興味深い事実に気付かされる。

恵美押勝は、橘奈良麻呂の変（七五七）を制圧して、邪魔者をきれいさっぱり葬り去った。血の粛清とはこのことで、四四三人が処罰された。恵美押勝に逆らう者は、朝堂から消えたのである。

恵美押勝はこののち、淳仁天皇を大いに利用していく。

まず、天平宝字二年（七五八）八月、淳仁天皇は、藤原仲麻呂の名を恵美押勝に改めさせた。類《たぐ》い希《まれ》な活躍で美徳を施したから「恵美」の姓を、乱をよく制したから「押勝」の名を与えるというのだ。翌年六月、淳仁天皇は、「恵美押勝は諸卿《しょきょう》とは別格」と言い、「朕が父」と呼び、それと平行して淳仁の父親のすでに亡くなっていた舎人親王《とねりしんのう》に、「皇帝」の称号を贈っている。

じつに回りくどい方法だが、淳仁の父を「皇帝」にして淳仁に「朕が父」と呼ばせることで、恵美押勝は「舎人親王と同等の立場＝皇帝」となったのである。

実際、恵美押勝は皇帝になろうとしていたのではあるまいか。

まず、藤原氏そのものが、「いずれ王になりたい」という欲求を抱えていたような気がしてならない。

本来皇族の女性だけがなれた皇后位についたのは、藤原不比等の娘光明子だった。さらに光明子は、藤原仲麻呂政権で娘の孝謙天皇と並び立つ権威と権限を獲得している。ちなみに藤原仲麻呂は孝謙天皇を信用していなかったようなのだ。孝謙天皇に藤原の血は入っているが、一方で「聖武天皇の娘」であり、しかも吉備真備の薫陶《くんとう》を受けていたからである。

そこで藤原仲麻呂は、孝謙天皇に足かせをはめていく。孝謙天皇と太政官《だいじょうかん》が、国家運営の要《かなめ》だったが、藤原仲麻呂は光明子の身の回りの世話をする役所を紫微中台《しびちゅうだい》という組織に仕立て上げ、太政官を兼任させた。すなわち、ふたつの政府が並立する形となり、天皇の母である光明子は、皇族と同等の扱いを受けていたのである。

この権威づけは、藤原仲麻呂の「王位への野望」の一環だったのではあるまいか。私見が正しければ、藤原氏は百済《くだら》王家出身であり、かれらは「王家が実力で入れ替わるのは当たり前」と考えていただろう。ここから藤原仲麻呂（恵美押勝）は、光明子の権威を借りて、実力をつけ、橘奈良麻呂の変を鎮圧したあと、敵はいなくなったのだ。

ただし、恵美押勝の専横は、度を超していた。貨幣を鋳造《ちゅうぞう》する権利を淳仁天皇に認めさせた。このため、インフレが起こり、恵美家だけが富み栄えるという（普通に考えれば当然のことだ）悪夢が待ち構えていた。また、私出挙《しすいこ》と恵美家印《えみけいん》の所持を認めさせた。

私出挙は、私的に種籾《たねもみ》を貸し付けることで、貨幣の鋳造と同様、本来国家の仕事だった。また、恵美家印は史上初めて下賜された私印で、太政官印にかわって使用することを許されたのである。

恵美押勝は、一家だけで権力を独占した。他の藤原氏も、恵美家の繁栄を、指をくわえて見守るほかはなかった。七世紀前半の蘇我氏でさえ、「ひとつの氏からひとりの議政官」という不文律、慣習を破っていない。

恵美押勝はまさに独裁権力を手に入れたのであって、この男がこのまま生きながらえていたら、本当の皇帝になっていたかも知れない。天皇家の歴史最大の危機が、恵美押勝の専横なのである。

なぜ称徳天皇は王家を潰そうとしたのか

恵美押勝がまだ藤原仲麻呂を名乗っていたとき、無名皇族・石津王《いわつのおおきみ》を養子に迎え入れている。石津王は、藤原氏の一員になったのだ。単純な臣籍降下ではない。皇族が、豪族の風下に立つのだ。異例中の異例で、恵美押勝の無気味な行動と言っていい。

また恵美押勝は、淳仁天皇を動かし、押勝の子供たちに「三品《さんぼん》」の位階を下賜させた。これは、親王に与えられる特別な位階であって、異常事態である。

恵美押勝には、皇族と縁者になり、皇族と肩を並べることによって、皇族の仲間入りを果たそうとする下心があったのではあるまいか。しかし、次第に、「皇族に紛れるよりも、皇帝になった方が手っ取り早い」と、考えはじめたのかもしれない。

藤原氏は伝統的に、「皇族を殺すことにためらいがなかった」一族で、長屋王を一族滅亡に追い込んだのは、間違いなく藤原不比等の息子たちだった。

聖武天皇の息子・安積親王《あさかしんのう》を殺したのは、藤原仲麻呂（恵美押勝）だった可能性が高い。これは、通説もほぼ認めている。

安積親王の母は県犬養広刀自《あがたいぬかいのひろとじ》で、この御子が即位してしまえば、藤原氏は外戚の地位から滑り落ちてしまう。どさくさに紛れて、藤原仲麻呂は密室殺人をしでかしたようだ。

天平十六年（七四四）閏正月十一日、聖武天皇は藤原仲麻呂を留守居役《るすいやく》に命じた上で、恭仁京《くにきょう》から難波行幸《なにわぎょうこう》に向かった。難波を目前にして、同行していた安積親王が「脚《あし》の病《やまい》」を理由に恭仁京に引き返したのだった。そして二日後、安積親王は急死したのである。

このように、藤原氏に限って、「天皇に手をかければ、恐ろしい目にあう」という幻想は、通用しなかった。それはなぜかと言えば、筆者は、何度も言うように、中臣鎌足が百済王子・豊璋《ほうしょう》だったからと考える。大陸や朝鮮半島の熾烈《しれつ》な征服戦、謀略戦にもまれ、「やらなければやられる」世界の住民から観れば、多神教的な王の権威など、空虚な張りぼてにみえただろうし、ひねり潰すことに、罪悪感は無かったはずである。

そうであるならば、恵美押勝が天皇家を潰し、皇帝になっていても、なんら不思議ではなかったのである。

称徳天皇が「王を奴《やっこ》に、奴を王と呼ぼうとも」と発言し、淳仁天皇を引きずり下ろしたこと、道鏡を即位させようとした背景には、このような恵美押勝の専横と、藤原氏の横暴な歴史が横たわっていたのではあるまいか。

称徳天皇は藤原の血を引くが、いっぽうで県犬養三千代の孫であり、光明子の娘であった。女系の血筋は、藤原の謀略に苦しめられ、闘った記憶を語り継いできたに違いない。とすれば、「藤原に利用されるだけの天皇なら、ない方がまし」と考えても不思議ではなかった。

このなかば、自暴自棄になった発想は、かぐや姫の残した不老不死の薬を焼いてしまった『竹取物語』の帝の心情と、よく似ているような気がしてならないのである。

第五章　天皇と権力

ヤマトの王は権力者の道具だった？

奈良時代の天皇は、権力者にとって都合の良い道具になり果てた。ここに言う権力者とは、藤原《ふじわら》氏のことだ。そして、これに抵抗したのが、聖武《しょうむ》天皇と称徳《しょうとく》（孝謙《こうけん》）天皇である。

ただし、意地の悪い言い方をすれば、程度の差こそあれ、ヤマトの王は、「権力者の道具」であることが、建国来の宿命だったのかもしれない。

極論すれば、「王、大王、天皇という存在は、政治をスムーズに運営するための道具に過ぎない」からである。言い方を変えると、「人々が幸せになるために、王は必要だった」のである。

けれども問題は、奈良時代に限って、王（天皇）の側が、

「もう、王でいることに疲れ果てた」

と言いだしたことなのである。道鏡《どうきょう》をめぐる問題の本質は、ここにある。王家は藤原との闘争に、嫌気がさしたのだろう。

そしてこののち、藤原氏はしぶとく復権し、都は平安京に移された。ただし、藤原

氏が盤石《ばんじやく》な体制を敷いた平安時代に至っても王の形態は一定せず、権力構造は二転三転していくのである。

そして、平安時代の天皇家も、藤原氏に支配されながら、いかに藤原氏の呪縛《じゆばく》から逃れるか、模索し続けた。外戚の箍《たが》がはずれると、天皇は藤原と対立を始めたのである。これは不思議なことだ。

ここでひとつだけ言えることは、「天皇」には、確固たる形態などなかったということである。つねに、形を変え、色を変え、変化し続けたのである。

ヤマト建国来、為政者《いせいしや》たち（ここに言う為政者とは、祭司王《さいしおう》としての王、大王、天皇をさすのではなく、ヤマトの合議制を構成する首長や豪族たちのことを言っている）は、「ヤマトの王（大王、天皇）はどうあるべきか」を模索し、また一方で、王家自身も、「ヤマトの王は強くあるべきではないのか」「いかにすれば王の発言力は強まるのか」を考え続けた。

そして、為政者と王の葛藤《かつとう》は、五世紀後半の強い王＝雄略《ゆうりやく》天皇の出現によってひとつの画期を迎え、やがて中央集権国家造りの過程で蘇我《そが》氏が登場し、蘇我氏と王家は屯倉《みやけ》（王家の直轄領《ちよつかつりよう》）を増やすという方法をまず取り、次に、律令制度《りつりようせいど》整備という同じ方向性を見出《みいだ》していくのである。

もちろん、秦《はた》氏のように、律令制度の導入に不安を感じた豪族も現れただろうし、これら反動勢力を味方に着けることによって権力闘争を有利に進めようとする中大兄《なかのおおえの》皇子《みこ》のような人物も現れた。じつに複雑な図式である。

しかし、大海人《おおあまのみこ》皇子が壬申《じんしん》の乱（六七二）を制したことによって、為政者と王の葛藤は、ひとつの区切りを迎えたのだ。それが、皇族だけで朝堂を牛耳《ぎゅうじ》るという皇親政《こうしんせい》治《じ》である。

平安時代の王家と藤原氏、そして武家の三《み》つ巴《どもえ》の闘争劇の根源をたどっていくと、天武天皇の皇親政治に行き着いてしまうのだ。

そこで、皇親政治と天皇権力について、考えてみたい。

皇親政治（天皇独裁）の意味

史学者の大半は、いまだに蘇我氏を「反動勢力」とみなす。けれども筆者は、蘇我氏を改革派とみる。また、蘇我入鹿《そがのいるか》亡《な》き後即位した孝徳《こうとく》天皇は親蘇我派の天皇で、孝徳天皇は蘇我氏の改革事業を継承したと考える。

同様の発想は、門脇禎二《かどわきていじ》がすでに指摘しているのだから（『「大化改新」史論』）、目新しいものではない。筆者が強調したいのは、孝徳天皇の姉・皇極《こうぎょく》天皇も、蘇我氏全盛期に擁立された親蘇我派の天皇であった可能性が高いということだ。さらに、皇極天皇の息子の大海人皇子＝天武《てんむ》天皇も、親蘇我派と考えると、多くの謎《なぞ》が解けてくるのである。

蘇我入鹿暗殺計画を練っていた中大兄皇子と中臣鎌足《なかとみのかまたり》は、味方を増やそうと動いたが、なぜか大海人皇子の名を挙げていない。実際、大海人皇子はこの事件では蚊帳《かや》の外だ（大海人皇子が歴史に登場するのは、かなり後の話になる）。

中大兄皇子が蘇我入鹿を殺したのは、これまで信じられてきたような「改革事業のため」ではなく、大海人皇子が蘇我氏のお気に入りで、母・皇極天皇に愛されていたからと考えると、辻褄《つじつま》があってくる。嫉妬《しっと》と権力欲が、中大兄皇子を突き動かしたのだろう。蘇我入鹿を倒さなければ、弟に皇位をかすめ取られるという狭量な了見である。

中大兄皇子は即位すると大海人皇子を皇太子に立てるが、二人は反りが合わず、殺し合いに発展しかねなかった。だから、天智《てんじ》天皇が発病すると、大海人皇子は危険を感じて吉野《よしの》に隠遁《いんとん》している。天智は大海人皇子を殺して、息子の大友皇子《おおとものみこ》を即位させたかったのだ。中臣鎌足も大友皇子を支持し、大海人皇子を「皇位を盗む悪人」と罵《ば》倒《とう》していたことは、『懐風藻《かいふうそう》』に詳しい。

ならば、なぜ天智天皇は即位直後に大海人皇子を重用したのかといえば、天智天皇は白村江《はくすきのえ》の戦いという大失策をしでかし、日本を滅亡の危機に陥《おとし》いれた。人々に罵られる中、近江遷都《おうみせんと》を強行したが、政権を維持するためには、多くの人々から支持されている親蘇我派の大海人皇子を取り込み、蘇我系豪族の支援を得なければならなかったのだろう。

天智朝は、妥協の政権であった。だからこそ、天智天皇崩御《ほうぎょ》ののち、大海人皇子と大友皇子は激突した。これが壬申の乱(六七二)で、この時蘇我系豪族がこぞって近江朝を裏切り、大海人皇子に加勢したのは、当然の事態であった。

裸一貫で吉野から東国に逃れた大海人皇子が、近江朝を木《こ》っ端微塵《ぱみじん》に打ち砕くことができたのは、天智天皇、中臣鎌足、大友皇子の不人気と、大海人皇子に対する絶大な支持ゆえである。

乱を制した大海人皇子は、都を蘇我氏の地盤・飛鳥《あすか》に戻し、即位する。天武天皇の誕生である。

天武天皇は皇族だけで政務を司《つかさど》るという極端な独裁体制を敷いた。これはなぜかといえば、滞っていた律令整備を、一気に片づけるためと考えられる。

律令整備最大の難関は、新制度に移行する瞬間にあった。それまで支配していた土地と民を、豪族は国家(天皇)に預け、見返りに官位と俸禄《ほうろく》を下賜《かし》される。この場合、豪族の合議は通用しない。利害が交錯し、争いが起きるかもしれない。誰もが納得した人物に、裁量を任せるのが手っ取り早い。壬申の乱を制した天武天皇こそ、適任であった。そして、天武天皇は、大鉈《おおなた》を振るって、改革事業を断行しようと考えたのだろう。これが、皇親政治の意味である。

そして、律令制度の中の天皇という存在は、太政官《だいじょうかん》で議論され、決定した案件を、「追認」し、太政官は書類に天皇御璽《ぎょじ》を押印《おういん》し、その書類が正式な天皇の命令となっていった。つまり、天皇に独裁的な権力は与えられず、太政官が実権を握るのが、日本の律令システムの原則であった。

したがって、律令制度に移行したあと、皇親政治は幕を下ろす手はずだっただろう。ところが、そう簡単にはいかなかったようだ。

皇親政治を改めようとしたのは皇親体制派だった?

天武天皇の子・高市皇子《たけちのみこ》が太政大臣《だいじょうだいじん》となり、高市皇子の子・長屋王《ながやおう》が左大臣《さだいじん》に就任したように、皇親政治は、天武天皇崩御ののちもしばらく維持されたようなのだ。律令制度は持統《じとう》三年（六八九）六月に浄御原令《きよみはらりょう》が暫定的に施行され、大宝律令《たいほうりつりょう》（七〇一）によって、完成するのだから、この間、王家の強いリーダーシップが求められただろう。問題は、律令制度が軌道に乗ったあと、いつ太政官に、権力が全面的に委譲されるのか、その駆け引きだったのではあるまいか。だから、長屋王と藤原氏の対立は、皇親体制側と律令体制側の葛藤という図式で語られることが多い。

これまでの史学界の常識は、次のようなものだった。皇族は、なるべく権力を維持したいと思い、律令整備に奔走していた藤原氏にすれば、一日も早く、律令の規定に沿った政治運営をはじめたいと考えた、という図式である。したがって、長屋王の変の悲劇に対し、史学界の反応は、意外に冷めたものだったように思える。藤原氏の卑《ひ》怯《きょう》な手口に対しても、「実権を王家から奪うための手段だった」というニュアンスが、感じ取れるのである。

ところで、律令制度のお手本となった中国の隋《ずい》や唐《とう》では、皇帝を頂点にした中央集権国家のための法制度を構築していたが、日本の律令は、建前上は天皇を国家のトップに立てているが、独裁王としての権限を与えてはいない。

たとえば権力の源は、人事権にあるが、「勅任《ちょくにん》（天皇が任命できる官職）」の場合でも、貴族層（藤原氏ら議政官）との間で合議を経なければ、決められなかった。その他の人事に関しては、太政官に権限が与えられていたのである。

その一方で、天皇は超法規的存在であることにかわりはなく、天皇の鶴《つる》の一声で藤《ふじ》原房前《わらのふささき》が「内臣《うちつおみ》」に任命されるなど、具体的な事案は、天皇のミウチ（妃の親族。具体的には藤原氏）の「法解釈」次第によって、いくらでも天皇の権限は変化したのだった。

渡辺《わたなべ》晃宏《あきひろ》は『日本の歴史04　平城京と木簡の世紀』（講談社）の中で、天皇と律令の関係を、次のように述べている。長くなるが引用する。


天皇はそれでもなお超法規的存在たり得たし、一方で貴族は法令をてこにして天皇の独走に歯止めをかけることができた。その時々の力のバランスによって、振子はどちらにでも傾き得たのである。いや、天皇と貴族層の力のバランスによって、どちらにでも傾き得るような制度を作り上げたというべきかも知れない。専制君主としての聖武《しょうむ》、貴族として太政官を掌握し専権をほしいままにした藤原仲麻呂《ふじわらのなかまろ》（藤原恵美押《ふじわらのえみのおし》勝《かつ》）、天皇になり損ねた道鏡《どうきょう》、そして新たな天皇権威の確立に努めた桓武《かんむ》。奈良時代は天皇制にとっても試行錯誤の連続であった。

まさにその通りなのだが、ひとつだけ、特記しておきたいことがある。当初、天皇の権限を律令体制側に引き渡そうとしたのは、皇親体制側だったように思えてならない、ということなのだ。

すなわち、長屋王の変は、皇親体制と律令体制の対立などという単純な図式ではなく、長屋王たち皇親体制側は、むしろ「皇親政治からの脱却」を目指し、律令（法律）を厳格に守ることで、天武天皇の夢みた「法治国家」の建設を、急いでいたのではないかと思えてならないのである。

律令の規定をあいまいに解釈することで天皇を魔法の杖《つえ》にした藤原氏

思い出していただきたいのは、「皇太夫人《こうたいぶにん》事件」における、長屋王の発言である。要旨は、次のようなものだ。すなわち、「律令にある規定と、天皇の命令と、われわれはどちらを優先すればよいのですか」という。ここに、問題の本質が隠されている。

あいまいな天皇の権限を、はっきりしなければ、法治国家とは言えず、「皇親体制の名残を払拭《ふっしょく》しなければ律令を造った意味がない」と叫んでいる。律令制度が整った以上、基準を一元化しなければ、未来に禍根《かこん》を残すという長屋王の主張は、まさに正論であった。しかし、この場面で藤原氏は長屋王に折れた振りをして、その後、「あいまいな天皇の権限」を、改めることはなかった。

なぜ藤原氏は、律令を正確に運用しようとしなかったのだろう。答えは簡単なことで、逃げ道を用意したかったのだろう。つまり、外戚になる道筋が確定すれば、律令の規定に拘束されない天皇を、利用することができるのだ。

長屋王が朝堂のトップに立ったとき、天皇を傀儡《かいらい》にしていた藤原氏は、房前を内臣に立てるという天皇の命令を引き出した。内臣とは、令外官《りょうげのかん》（律令の規定にない役職）で、天皇と同等の権限を持つものといい、右大臣、左大臣よりも上に立つ存在である。

藤原氏は律令の規定をあいまいに解釈することによって、天皇を魔法の杖に仕立て上げたのである。

普段は、律令の規定を遵守《じゅんしゅ》し、いざとなったら、天皇の命令を引き出し、藤原氏の思い通りの政局運営を可能にした。

疑い出せばきりがないが、あいまいな扱いを受けたのは天皇だけではない。藤原不《ふじわらのふ》比等《ひと》は、律令策定にあたって、わざとあいまいな項目を残しておいたのではないかと思えてならない。

たとえば、それまで「皇后」は、不文律で皇族の女性を立てることになっていた。そのためだろうか、律令の規定の中で、皇后位に立つ者の条件は、はっきりと記されていない。だから、藤原不比等の娘・光明子《こうみょうし》は、律令の不備を突いて皇后位に立つことができたのである。

ちなみに、長屋王が皇太夫人事件で抵抗したのは、光明子を皇后に立てたい藤原のごり押しに対する反発だったとする考えもある。たしかに、それも一因であったろうが、藤原氏の野望のすべてが、この法律の欠陥を悪用したものだったのだから、長屋王は、どこかで楔《くさび》を打ちこまねば、国の制度が滅茶苦茶になると、憂《うれ》えたのだろう。

ここで強調しておきたいのは、長屋王の主張が通っていれば、律令の規定が優先され、その後の天皇は、実権を持たず、祭司王的存在に収まっていたであろうことである。

けれども、藤原氏が長屋王の声を弾圧という形で封殺してからあと、なぜか怪物天皇が登場し、独裁権力を手に入れようとしている。また、天皇の周辺にも、モンスターが出現するようになったのである。

以下、奈良時代から平安時代にかけて、どのようにして独裁権力を握ろうとする人々が登場したのか、その経緯を追ってみよう。

恐怖心の裏返しで皇帝になろうとした恵美押勝

最初に登場したモンスターは、聖武天皇である。藤原の好き勝手に対する反動が、顕著な形で出来《しゅったい》したのが、聖武天皇であった。「すべての富と権力は私にある」という傲慢《ごうまん》な発言は、民に向けて語られたのではなく、藤原氏に対しての挑戦状であろう。藤原氏は策に溺《おぼ》れて、聖武天皇という巨大なモンスターを産み出してしまったのである。

ここにいう「モンスター」とは、「藤原氏のコントロールが効かなくなった」という意味で言っている。

藤原不比等の悲願であった「藤原の子」が聖武天皇であった。ところが、意外な結末が用意されていたのである。

聖武天皇の次に現れたモンスターは、恵美押勝であった。

すでに触れたように、恵美押勝は「皇帝になろうとした男」だったと筆者は思うが、なぜ恵美押勝は暴走したのかといえば、「藤原の子である聖武でさえ、ひとつ間違えば、藤原に刃向かうモンスターになる」という経験則から、「藤原氏が生き残るには、天皇を徹底的に支配するか、藤原氏が王になるほか道はない」と考えたのではあるまいか。

藤原氏は残虐《ざんぎやく》であった。陰謀好きの遺伝子が組み込まれ、血に飢えているのではないかと思われるほどである。

『大鏡《おおかがみ》』には、中臣鎌足が「藤原」の姓を天智天皇から賜ったときのこととして、紀氏が、次のように述べて嘆いたという。

「藤かゝりぬる木は、かれぬるものなり。いまぞ紀氏《きのうじ》はうせなんずる」とぞのたまひけるに、まことにこそしかはべれ。

つまり、藤のとりついた木は枯れてしまうものだ。とすれば、紀氏（木）は衰亡するだろうといったが、本当にその通りだ、というのである。

中臣鎌足が藤原姓を下賜されたとき、紀氏は政権の中枢《ちゆうすう》に立っていたわけではないから、本当に紀氏が述べたものなのかどうかははっきりとしないのだが、「藤は宿主《しゆくしゆ》の栄養まで吸い取る」という表現は、的を射ているし、藤原氏は他者との共存を拒むのだった。それが、大陸や朝鮮半島の常識であり、お人好しだったのは日本の貴族たちだったのだ。

中臣鎌足は日本で生き残るために、蘇我入鹿暗殺を企てたのであろう。一度犯した罪によって、藤原氏は徹底的に政敵を潰していかなければ、いつかかならず仕返しを受けるという恐怖心を抱きはじめただろう。こうして、悪循環が始まったのである。

いずれにせよ、藤原氏は多くの尊い血を吸って、権力者の地位を手に入れたのだ。だから巷《ちまた》には怨嗟《えんさ》の声が渦巻き、『竹取物語《たけとりものがたり》』のような物語が生まれたのだ。奈良時代末から平安時代にかけて、御霊信仰《ごりようしんこう》が高まるが、御霊とは政争に敗れた祟《たた》り神であり、その多くは藤原氏が冤罪《えんざい》を擦《なす》り付け、蹴落《けお》とした人々である。

平安時代、空海《くうかい》や安倍晴明《あべのせいめい》らが求められていくのは、権力者たちの手が汚れていたからであり、祟りが恐ろしかったからなのだ。

恵美押勝も、安積親王《あさかしんのう》を暗殺し、橘奈良麻呂《たちばなのならまろ》の変で、古代史上最大とも言える血の粛清を断行した。首謀者の中には、死刑は免れたものの、拷問《ごうもん》によってなぶり殺しにされた者もいる。「杖下《じょうか》に死す」と記録される人たちだ。

さらに恵美押勝は、首謀者たちの名を、「多夫礼《たぶれ》（常軌を逸している者）」「麻度比《まどい》

（迷っている者）」「乃呂志《のろし》（愚鈍の者）」などの蔑称《べっしょう》にすり替え、死者を愚弄《ぐろう》した。

　恵美押勝は、祟りに怯《おび》え、現実に、生き残った政敵が復讐《ふくしゅう》してくることを恐れただろう。その恐怖心の裏返しで、この男は、皇帝の地位を望んだのかも知れなかった。

桓武天皇が平城京を捨てた本当の理由

「藤原の子」＝聖武天皇が「反藤原派」に転向した衝撃と反省が、恵美押勝を突き動かし、恵美押勝の暴走が、さらに連鎖反応を起こし、称徳天皇と道鏡という怪物が出現したのである。

　称徳天皇は独身女帝で、子はなかった。そこで称徳天皇崩御ののち、皇位継承問題が浮上し、天武系を推す吉備真備《きびのまきび》の奮闘も空しく、藤原氏の主張が通ってしまう。天武系はここで断絶し、宝亀《ほうき》元年（七七〇）、天智系の王家が復活した。これが、光仁《こうにん》天皇である。

　光仁天皇は六十二歳という高齢で、瓢箪《ひょうたん》から駒《こま》の形で即位したが、その直前まで、権力闘争のまっただ中に置かれ、身の危険を感じ、「飲んだくれ」を演じていたことは、有名な話だ。

それはともかく、光仁天皇のあとを継いで即位したのが桓武天皇で、長岡京遷都、平安京遷都を企てた名君として知られる。
ただし、この人物の即位も、藤原氏の陰謀によるところが大きい。
なぜ、藤原氏のあら探しばかりしているかというと、平安時代の権力闘争の真相を知るためには、「誰もが藤原氏を嫌っていた」という当時の人々の常識が頭に入っていないと、なかなか理解していただけないからなのである。

さて、話を光仁即位後に戻す。
光仁天皇の皇后に冊立《さくりつ》されたのは、井《い》上内親王《かみないしんのう》で、息子の他戸《おさべ》親王《しんのう》が皇太子に立った。井上内親王は聖武天皇の娘だったから、天武の王家を推す人たちに対する懐柔策であろう。

ところが、宝亀三年（七七二）三月、突然井上内親王は皇后位を剝奪《はくだつ》されてしまう。夫で天皇の光仁に対して巫蠱《ふこ》（人を呪《のろ》うこと）をしていたというのだ。また二ヶ月後、他戸親王も、母の厭魅大逆《えんみたいぎゃく》（呪術で君主を呪うこと）に荷担《かたん》していたとして、廃太子の憂《う》き目にあってしまう。どうやら、「天武系の血を残したくない」藤原百川《ふじわらのももかわ》（式家《しきけ》。藤原宇合《うまかい》の子）の陰謀であったようだ。

けれども、本当の悲劇は、ここから先だった。宝亀四年（七七三）十月、光仁天皇の姉が亡くなり、井上内親王が呪い殺したと言いがかりをつけられ、母子共に、大和国宇智《うち》郡に幽閉されてしまったのである。

宝亀六年（七七五）四月二十七日、井上内親王と他戸親王は、同じ場所で同じ日に亡《な》くなっている。暗殺説が有力視されているのは、当然のことである。

古代の官僚名簿『公卿補任《くぎょうぶにん》』は、この一連の事件について、藤原百川の策謀であったと記録している。十二世紀末の歴史物語『水鏡《みずかがみ》』は、井上内親王の祟りが藤原百川を苦しめたといい、十五世紀に編まれた皇族の系譜『本朝皇胤紹運録《ほんちょうこういんじょううんろく》』には、井上内親王と他戸親王の親子が獄中で亡くなったのち、龍《りゅう》になって祟ったと記す。人々が祟りを恐れたのは、母子が罪なくして殺されたからである。

この、皇后・井上内親王と皇太子・他戸親王の悲劇があって初めて、桓武天皇の即位が成立した。だから、桓武天皇が奈良盆地を捨てて山城《やましろ》に向かったひとつの理由に、「呪われた地から逃避するため」があったとしてもおかしくはない。史学者が、この「祟りの恐怖」を軽視するのは、古代人の信仰を「非科学的」と決め付けるからだ。

しかし、古代人にとって「祟り」は現実だったのだ。

モンスター＝院《いん》が登場した原因は藤原摂関家《せっかんけ》にある

長屋王は、「天皇の独裁」と「法治国家」のどちらかをすぐにでも選択すべきだと主張した。だが、藤原氏にすれば、「あいまいな状態を残しておけば、天皇を魔法の杖にできる」という思惑から、長屋王を抹殺すると、皇親体制の残骸をわざと残した。その結果、聖武天皇、恵美押勝、称徳天皇というモンスターが誕生したのだった。

そして、桓武天皇は呪われた平城京を捨て、新天地を求めた。長岡京遷都に際し一悶着《ひともんちゃく》あってすぐに平安京に都は遷されたが（詳細はのちに）、それでも、藤原氏が推す桓武天皇だけに、安定した政権を樹立することができた。もちろん、途中、いくつかの政変が起きたが、それは、「藤原が他者を排斥する戦い」であり、「藤原政権」は、一層強固な体制を築いていったのだった。だから、平安時代は、藤原氏にとって（藤原氏だけ）安定した平安の時代だったのである。

ところが、しばらく時間がたったあと、平安京に、次のモンスターが現れる。それが、平安後期に出現する「院（上皇《じょうこう》や法皇）」であった。

くどいようだが、もし長屋王の言い分が通っていれば、院政が始まることは絶対になかっただろう。やはり、藤原氏の悪知恵に天皇家は翻弄され、「院」という怪物を産み出してしまったのである。

院政とは、譲位した上皇や法皇が、天皇の後見役となることで、持統天皇や元正《げんしょう》天皇、聖武天皇などが、すでに上皇となって、幼く若い天皇の後見役になった例があった。しかし、平安時代後期の院（上皇）は、独裁権力を振りかざした怪物であった。

そこで、モンスターに化けた天皇＝院がどのような存在だったのかを追っていきたいが、「院」がなぜ登場したかというと、やはり藤原氏がからんでくる。特に、藤原《ふじわら》北家《ほっけ》、摂関家の繁栄が、「院」を生み出すきっかけを造ったのだ。

だから、藤原北家と摂関家の歴史を、ふり返っておかなければならない。

さて、平安時代といえば、藤原氏が強大な権力を獲得したことで知られる。なかでも北家は摂関政治をはじめ、外戚の地位を独占し、わが世の春を謳歌《おうか》したのである。

先述した藤原道長《ふじわらのみちなが》の尊大な歌も、ちょうどこのころ歌われたものだ。ところが、藤原氏が絶頂期を迎えた直後、摂関家は権力を院に奪われてしまうのである。

なぜ、こんなことが起こり得たのだろう。

まずは、そのカラクリから、説明しよう。

院政が敷かれ上皇が独裁権力を握ることができたのは、藤原北家の摂関政治が凋落《ちょうらく》したからだ。そこでまず、摂関政治がどのように始まったのか、摂関政治とは何だったのか、そこから話を進めなければならない。

平安時代、藤原氏が盤石な体制を獲得したのは、外戚の地位を独占したからである。光仁天皇は瓢箪から駒の形で即位したから、藤原氏は外戚の地位を獲得しそびれたが、それでも、天武系の井上内親王を蹴落とし（密殺し）、光仁天皇と百済《くだら》王家出身の高野新笠《たかののにいがさ》との間の子である桓武天皇を即位させることに成功した。藤原百川が井上内親王の母子を暗殺してくれなければ桓武天皇は即位できなかったのだから、桓武天皇と藤原氏のつながりは強かっただろう。

藤原氏が百済王家の血を引く高野新笠の息子を選んだのも、藤原氏が百済王子・豊《ほう》璋《しょう》の末裔《まつえい》だからだろう。

それはともかく、藤原式家は桓武天皇に乙牟漏《おとむろ》と旅子《たびこ》を嫁がせ、平安京の二代目の天皇の段階で、すでに外戚の地位を手に入れた。こうして藤原腹《ふじわらばら》の平城《へいぜい》天皇、嵯峨《さが》天皇、淳和《じゅんな》天皇が次々と即位していったのだった。

当初、藤原氏のなかでも式家と南家《なんけ》に勢いがあったが、いくつかの変を経て、九世紀前半には、北家が優勢となっていく。そして貞観《じょうがん》八年（八六六）応天門《おうてんもん》の変で、最後まで藤原氏のライバルだった伴《とも》氏（大伴《おおとも》氏）と紀氏は没落する。北家の藤原良房《ふじわらのよしふさ》が陰謀にはめて、葬《ほうむ》ったのである。

藤原良房は甥《おい》の基経《もとつね》を養子に迎え入れたが、基経の実の妹・高子《こうし》が清和《せいわ》天皇に嫁ぎ、貞明《さだあきら》親王を生み、皇太子に冊立された。これで、基経は外戚の地位を手に入れた。

貞観十八年（八七六）、清和天皇は九歳の貞明親王に譲位した。これが陽成《ようぜい》天皇で、清和天皇は藤原基経に、「幼主《ようしゅ》（陽成）を助け（保輔《ほふ》）、天子の政を摂《と》り行うように」と命じた。基経は、「摂政《せっしょう》」に任ぜられたのだ。ここから、藤原北家の摂関政治が始まったのである。

天皇が幼いときは、藤原北家の長者が「摂政」として、天皇が成人すると「関白《かんぱく》」に任命され、天皇の後見役を務めた。これが「摂関政治」である。

藤原氏繁栄の落とし穴

藤原北家は、摂政や関白という特別職、指定席をこしらえることによって、盤石な体制を構築したのだった。藤原北家は外戚なのだから、天皇を自在に操れたし、法律は自分たちに都合の良いように解釈できた。もうこうなると、怖いものはない。特に、藤原道長の時代、后妃は藤原北家で固められてしまったから、政権は永遠に続くのではないかとさえ思えただろう。道長の高笑いが聞こえてきそうである。永遠の繁栄などは、幻想なのだ。

ところが、ほころびは、意外な場所から現れた。諸行無常《しょぎょうむじょう》とは、良くいったものである。

藤原道長亡き後、摂関家は外戚の独占的地位を失うのである。理由は、皮肉なことに、藤原道長が、摂関職と外戚の地位を、骨肉の争いを避ける目的もあって、藤原道長の嫡流《ちゃくりゅう》だけに限定してしまったことだった。嫡子《ちゃくし》の娘だけが、入内《じゅだい》するようになったのだ。一見して安定するかのように思われるが、人材が涸渇《こかつ》してしまったのだ。

すなわち、入内可能な女子の数が減り、当然、藤原腹の皇子の頭数が、みるみる減り、それを取り巻く「ミウチ」たちも、同様に激減していったのだった。また、せっかく入内した嫡流の娘が子供を産んだとしても、男子を生まなければ意味がない。次の外戚になれないからだ。

そしてついに、後朱雀《ごすざく》天皇と、皇后禎子《ていし》内親王の間の子・尊仁親王《たかひとしんのう》が即位してしまった。これが、後三条《ごさんじょう》天皇である。

案の定、「藤原の箍」からはずれた後三条天皇は親政に意欲を見せたが、短命だったために、野望は遂げられなかった。その代わり、後三条天皇の子の白河《しらかわ》天皇が上皇となって、院政がスタートしたのだった。白河上皇は、摂関家に代わって新たな外戚の地位を狙《ねら》う閑院流《かんいんりゅう》（藤原氏）の母を持ち、やはり、摂関家とは距離があった。白河上皇はのちに法皇となり、「治天《ちてん》の君《きみ》」として、独裁権力を握り続けたのである。

藤原氏が実権を握っていたのに、突然現れた上皇が、なぜ権力を奪取できたのだろう。「建前上は天皇の命令が絶対」でも、藤原摂関家が外戚であった時は、天皇は「スピーカー」となって、摂関家の言葉を代弁していたのであろう。しかし、摂関家の箍がはずれた段階で、上皇は「自分の意志」を喋《しゃべ》りはじめ、独裁体制を敷いたわけである。

ではなぜ、天皇が権力を行使するのではなく、上皇や法皇が、親政を敷いたのだろう。

まず、実権を握れば、政争に巻き込まれることもあっただろう。その時、天皇は安全弁としてとっておくことができる。上皇や法皇が、罪をかぶっても、王家は傷つかない。その逆もあり得る。

さらに、天皇から上皇になるとき、次の天皇を指名することになる。これは人事権の行使であって、すでに触れたように、権力の基本は人事権にあるのだから、「二段階の王」を造ることによって、上皇は「親政を目指す皇族」のピラミッドの頂点に立つことができたのである。

律令と天皇権力を使い分けしておいしい思いをしてきたのは藤原氏であった。院政は、このような藤原氏に対する王権側の反乱であった。

もちろん、長屋王の主張していたとおり、奈良時代の段階で、皇親政治から律令制度へ、スムーズに移行していれば、藤原氏のひとり勝ちも専横もなかっただろうし、独裁権力を握る上皇や法皇が現れることもなかったに違いない。

そして、やはり強調しておきたいのは、「強大な権力を握った藤原氏」が、恐れられる以上に嫌われていた事実が、大きな意味を持っていたと思う。

歴史を動かしてきたのは人間であり、人間の単純な「好き嫌い」「愛憎」が、政局を動かすことは多々あった。百年、二百年単位で、人々の恨みを買ってきた藤原氏である。「卑怯で手段を選ばない藤原氏」に多くの人たちが辟易《へきえき》し、藤原の天下を呪っていたのである。

そして、摂関政治によって藤原北家だけが栄えるようになると、他の藤原氏でさえ、「Mr.藤原氏＝摂関家」に対する対抗意識を燃やし、院に荷担していく閑院流のような一派が登場したのである。

なぜ武士が台頭したのか

上皇や法皇は、つねに権力者の地位にあぐらをかいていたわけではない。復活を目《もく》論《ろ》む摂関家との間に、熾烈《しれつ》な暗闘をくり広げていたのだ。保元《ほうげん》の乱（一一五六）、平《へい》治《じ》の乱（一一五九）は、王家と藤原氏らの骨肉の争いである。

そして、このせめぎ合いを利用して、ある勢力が急速に力をつけていく。それが、平氏と源氏の武士団だ。彼らは地方で実力をつけ、中央に戻ってくると、今度は王家と藤原氏の暗闘の漁夫の利を得た。平家の栄華は一瞬だったが、源氏は鎌倉に幕府を開き、朝廷と対等に渡り合っていくことに成功し、次第に朝廷を圧倒していくようになったのである。

ここまでの権威と権力をすべて否定するという点において、武士の台頭は、それまでの権力者にとって、「モンスター」にほかならなかった。

ではなぜ、武士が台頭したのだろう。これまで話してきた歴史と、どのようにつながっていたのだろう。そしてなぜ、実権を握ったのち、武士は天皇を潰《つぶ》そうとしなかったのだろう。

そこでまず、なぜ平安時代後半、武士が台頭したのか、その理由から考えてみよう。

そもそも、平氏と源氏の先祖を辿《たど》っていけば、「天皇」につながる。桓武天皇の時代、皇族を積極的に臣籍降下《しんせきこうか》させる政策が採られた。「桓武平氏」が誕生したのは、この時だ。財政難から、多くの皇族を養っていけなくなったのである。

ちなみに、『日本書紀』や『古事記』に従えば、蘇我氏や紀氏、葛城《かつらぎ》氏、多《おお》氏らは、古い時代に臣籍降下した人たちだ。奈良時代には、橘《たちばな》氏が臣籍降下している。

源氏は、嵯峨天皇の時が最初で、源頼朝《みなもとのよりとも》や源義経《みなもとのよしつね》らが輩出する「河内《かわち》源氏」は、清和天皇の末裔である。

源氏と平氏の差は何かというと、源姓は一世王（子供世代）、平姓は二世王（孫世代）に下賜された。ただし、例外もある。また、「源氏」を名乗っているからといって、同族とは限らない。ただし、根っこを辿っていけば、みな天皇につながるという意味で、遠い親戚であることに違いはない。

ではなぜ、彼らは武士になって地方に散っていったのだろう。

誤解されては困るのだが、源氏や平氏の全員が武士になったわけではなく、中央に残って貴族の仲間入りをしたものも現れた。特に、村上源氏からは、多くの高級貴族が登場している。数でいうなら、公家《くげ》の源氏の方が多いぐらいだ。

ただ、のちに武士が台頭し、華々しく活躍するために、平氏や源氏といえば、甲冑《かっちゅう》姿を連想してしまうのである。

それにしても、なぜ天皇の末裔が、地方に飛ばされ、平安貴族が忌《い》みきらった血なまぐさい世界に追いやられたのだろう。いつしか武士は、藤原氏らに蔑《さげす》まれていくが、それでも中央に進出し、権力を奪い取ることができたのは、なぜだろう。

そこで次に、東国武士の活躍の様子を追ってみよう。平氏と源氏は、武士になったことによって、貴族には持ち得なかった真の実力を獲得していくのである。

なぜ源氏や平氏は東国の荒くれたちを束ねることができたのか

律令体制が整う以前の朝廷の軍隊は、諸豪族から寄せ集められていた。大伴氏、佐《さ》伯《えき》氏、物部《もののべ》氏が世襲武人として名を馳《は》せた。律令が整い、軍団制が確立すると、民に兵役が課せられ、世襲武人の役目は終わる。そして平安時代初頭には、政争と蝦夷征《えみしせい》討《とう》に軍事官僚が大活躍をした。征夷大将軍《せいいたいしょうぐん》・坂上田村麻呂《さかのうえのたむらまろ》が名高い。

ところが、九世紀後半、東アジア情勢も落ち着き、国防のための防人《さきもり》も必要なくなり、蝦夷征討が一段落すると、軍団制は解体され、各地方の郡司《ぐんじ》（地方官）の子弟ら

（健児《こんでい》）に軍事を委ねる「健児制《こんでいせい》」がはじまった。健児は国府《こくふ》の守備に当たった。

組織的な軍事力が霧散したことで、関東では治安が悪化した。俘囚《ふしゅう》や群党《ぐんとう》が蜂起《ほうき》したのだ。俘囚とは、恭順してきた東北蝦夷で、各地に移住させられ、警察や軍事力の補完機能として利用されたのだ。

ところが、これが裏目に出た。承和《じょうわ》十五年（八四八）、上総国《かずさのくに》で俘囚の丸子廻毛《まりこのつむじ》が反乱を起こすと、俘囚の反乱が相次いだ。朝廷は「俘虜《ふりょ》の怨乱《おんらん》」と恐れた。

九世紀末になると、群党がうごめき出す。土地の有力者が農民たちを構成した武装集団である。

さらに、東国の国衙《こくが》が集めた税を運ぶ運送業者が富を蓄え、「僦馬《しゅうば》の党」となっていく。彼らは当初、群党から身を守るために武装をはじめた。そのうちに、自らが山賊のようになってしまったのだ。馬に乗り、東海道や東山道《とうさんどう》に出没し、通行を遮断し、物資を略奪した。関東はこうして、無法地帯になり果てていったのである。

ここに、颯爽《さっそう》と登場したのが、平氏や源氏だった。

平氏といえば西、源氏といえば東を連想するが、まず関東に送り込まれたのは高望《たかもち》王《おう》（平高望）であった。上総介《かずさのすけ》に任ぜられ、関東における平氏の地盤を築きあげた。常陸《ひたち》、下総《しもうさ》、上総に農地を開墾し、国衙の軍事力では対処できなかった俘囚や群党を束ねることに成功し、武士団を形成していく。源氏はやや遅れて関東にやってきて、勢力図を塗り替えていき、平氏は西国に活躍の場を広げていったのだ。

こうして平氏と源氏は、辺境軍事貴族として活躍し、次第に実力を蓄えていくのである。

それにしても、不思議に思うのは、それまで赴任していた国司たちにはできなかったことを、なぜ平氏や源氏は、すんなりやり遂げてしまったのか、ということである。暴れ回っていた俘囚や群党が、平氏や源氏には抵抗しなかったのはなぜだろう。ここに、大きな謎が隠されている。

東国の民と天皇のつながり

ここで歴史をさかのぼってみよう。古代の関東地方や東北地方とヤマトの関係である。

弥生《やよい》時代の関東地方は後進地帯だったが、ヤマト建国前後、多くの移民が流れ込み、それまで手のつけられなかった土地が開墾され、急速に発展していく。ヤマトが関東の経営に乗り出し、見事に成果を上げた。

五世紀後半の関東地方は、畿内《きない》を除けば、最大級の前方後円墳《ぜんぽうこうえんふん》の密集地帯に変貌《へんぼう》していくのである。

そのため、古代の関東の人々はヤマトの王家に従順で、五世紀の朝鮮半島への出兵に際しても、大量の兵士が徴用される。

じつを言うと、『日本書紀』を信じるならば、ヤマト建国後真っ先に関東に乗り込んでいったのは、上毛野氏《かみつけの》や下毛野氏《しもつけの》といった天皇の末裔であった。しかも、関東の民は、ヤマトの王の子たちの下向を渇望していたという。関東には、王家の末裔を尊ぶ下地が備わっていたのである。

上毛野氏らが源氏や平氏の原型であり、九世紀の関東でも、天皇の末裔は、歓迎されていた可能性が出てくる。

そして、もうひとつ注目しておきたいのは、東北蝦夷のことである。

東北蝦夷と朝廷の関係は、七世紀以前と八世紀以降では、全く違っていたことを、認識しておく必要がある。

奈良時代から平安時代にかけて、蝦夷の反乱に苦しめられ、坂上田村麻呂の活躍でようやく鎮圧できたという歴史から、さぞかし古代のヤマト朝廷と蝦夷は仲が悪かったのだろうと思われるかもしれない。しかし、七世紀以前のヤマト朝廷と蝦夷は、対立の関係にはなかった。

まず、「蝦夷」と呼ばれる民族が存在したのかというと、これが怪しい。

たしかに五世紀前半まで、東北地方北部は、縄文的で北方文化とのつながりが強く、続縄文時代に区分される。ところが、五世紀末になると、東北北部にも、土師器《はじき》が現れてくる。またこのころ、東北地方で人口爆発が起きている。どうやら、東北中部や以南から、大量の移民が流れ込み、「蝦夷」が誕生したようなのだ。松本建速《まつもとたけはや》は「東北北部の蝦夷の多くは、古代日本国の複数の地域からの移住者だったのである」と指摘している（『蝦夷の考古学』同成社）。特に、七世紀ごろから、馬と鉄を求めて、人びとが集まってきたのである。

そこで七世紀の『日本書紀』に注目してみると、蘇我政権下で、蝦夷が飛鳥の都で歓待されている記事がある。飛鳥の蘇我政権の時代、朝廷と東北蝦夷の蜜月《みつげつ》が到来していたのだ。蘇我入鹿の父の名が「蝦夷」だったのも、無視できない。

藤原氏の政敵の力をそぎ落とすための東北征討

蘇我政権を支えた阿倍《あべ》氏は、六世紀初頭、越《こし》（北陸）から継体《けいたい》天皇とともにヤマトにやってきた可能性が高いのだが、越は地理的に蝦夷と接点があって、東北蝦夷の中に「アベ（安倍《あべ》）」を名乗る者が出てきたのは、ヤマトの「阿倍」とつながっていたからとされている。

ところが、藤原氏が権力を握ると、次第に朝廷は東北に対し、強圧的になっていき、蝦夷征討をはじめるのである。

藤原政権は、東北に埋もれていた馬や鉄など、宝の山に目が眩《くら》み、独占を試みたのだろうか。それもひとつの理由だろうが、もっと大きな理由は、「藤原氏の政敵が、みな東国と親しかった」からではなかったか。

藤原氏が没落している時期は、かならずといっていいほど、東北の蝦夷はおとなしくなった。藤原氏が権力を奪い、他者を圧倒すると、蝦夷が反乱を起こすという歴史をくり返していく。それはなぜかといえば、東北蝦夷征討が藤原氏の「反藤原派の力をそぎ落とすための策」だったからではあるまいか。藤原氏の敵は、ことごとく東国と結びついている。

蘇我本宗家《ほんそうけ》は東国出身の武人（東方儐従者《あずまのしとべ》）を警備にあてがい、親蘇我派の大海人皇子（天武天皇）は、裸一貫で吉野から東に逃れ、東国の軍団の加勢を得て、一気に近江朝を滅ぼした（壬申の乱）。反藤原の狼煙《のろし》を上げた聖武天皇は、壬申の乱を意識して関東（東国）行幸を敢行し、藤原氏に圧力をかけたのだった。蘇我氏や物部氏ら、古代豪族が次々と藤原の餌食《えじき》になっていく中、最後まで藤原氏の政敵の中で生き残った大伴氏は、南部九州の隼人《はやと》や東北の蝦夷ら、辺境の民と太いパイプで結ばれていた。

このように、藤原氏の政敵は、みな東国と強い糸でつながっていたのだ。とすれば、藤原氏が権力を握る過程で、東北蝦夷征討が本格化していったのは、関東の武力を東北に向けることによって、反藤原派が頼りにしてきた軍事力を、そぎ落とす目的であったと察しがつく。

東北征伐の際駆使されたのは、「夷《い》をもって夷《い》を制《せい》す」という策で、恭順してきた蝦夷たちを前線に向かわせ、刃向かう蝦夷を討たせたのだった。ただし、蝦夷と蝦夷だけではなく、本来蘇我の政権とつながっていたであろう関東の民と東北の蝦夷を闘わせることによって、「藤原の敵」の力を削いだのだろう。もちろん、蝦夷征討に向かわせられた将軍たちも、反藤原派であり、彼らは踏み絵を踏まされたのである。

蝦夷征討がなかなか成果を上げられなかったひとつの理由に、関東の民と派遣された将軍に戦意がなかったことが挙げられる。特に、大伴氏は蝦夷と通じていた疑いがあった。大伴氏は東北に将軍として派遣されていたが、サボタージュをしていた可能性が高いのだ。

宝亀十一年（七八〇）に勃発《ぼっぱつ》した陸奥国《むつのくに》の伊治呰麻呂《これはりのあざまろ》の乱は、東北蝦夷征討の本質を知る上で、興味深い事件である。

伊治呰麻呂は夷俘《いふ》（朝廷側に靡《なび》いた蝦夷）だったが、密《ひそ》かに朝廷に恨みを抱いていた。そして反乱を起こし、まず、按察使《あぜち》で上司の紀広純《きのひろすみ》らを殺してしまう。ところが、陸奥介《むつのすけ》の大伴真綱《おおとものまつな》は殺されず、多賀城《たがじょう》まで「護送」された。城の兵は守りを固めようとしたが、大伴真綱は石川浄足《いしかわのきよたり》とともに、兵を残して逃げたのだった。もちろん、多賀城の兵も、戦意を喪失し、散り散りになって逃げた。

夷俘の反乱で「大伴氏と石川（蘇我）氏」だけが殺されなかったという話、無視できない。くり返すが、大伴も蘇我も、どちらも東国とつながり、藤原氏にいじめられた人々なのである。

「反藤原派」と東国がつながっていて、だからこそ藤原氏が東北征討を敢行したのなら、ここに「なぜ平氏や源氏が無法地帯の東国で、すんなり受け入れられたのか」その意味が分かってくるような気がする。

俘囚や暴れ回る群党たちは、「天皇家の支配」を憎んでいたのではなく、「藤原が私利私欲のために東国を滅茶苦茶にしてしまった」という思いに駆られていたのだろう。そこに、「藤原氏に遠ざけられた貴種」たちが、やってきたのだ。彼らが源氏や平氏

東北支配の拠点となった多賀城

に靡いたのは、こういう背景があったからだろう。

武士のおかげで富を蓄えた藤原氏

ところで、天皇の末裔である平氏や源氏が「汚い仕事」を強要されたのは、ひとつの理由に、「天皇の嫁取りで、なるべく皇族の女性は近づけたくない」という思惑が、藤原氏にあったからだろう。藤原と血縁関係の無い皇族が天皇のまわりにあふれかえり、女性皇族との間に皇子が多数生まれれば、藤原氏の外戚の地位が脅《おびや》かされる。

だからこそ、邪魔な皇族は臣籍降下させ、東国に追いやったのだろう。そして都の貴族たちは、武士を「貴族のために働く下僕」とみなしていた。というのも、藤原氏は平氏や源氏のおかげで、何もしないのに、莫大な富を手に入れることとなったからである。

カラクリは実に複雑なのだが、簡単に整理してしまうと、つぎのようになる。

律令の原則に従えば、土地の私有は禁じられていた。しかし、制度疲労はすぐに始まり、やがて「新たに開墾した土地は、私有してよい（ものすごく大雑把にいってい るのだが）」ということになった。そこで、在地領主たちが台頭し、私有地を広げていったが、中央から派遣された国司や、中央の貴族や大社寺といった荘園領主たちと、利害がぶつかってしまって圧力がかかったのだ。そこで在地領主たちは、中央の貴族に土地を寄進して、彼らの権威を笠《かさ》に、土地の支配を正当化し、国司らの圧力をかわしたのである。

ここにいう在地領主の多くが、源氏や平氏であった。つまり、源氏や平氏は、中央の貴族に土地を寄進し、その寄進した土地を管理するという名目によって、開墾した土地を支配するためのお墨付きを中央貴族から獲得したことになる。

武士と中央貴族は、持ちつ持たれつの関係になったし、藤原氏には、黙っていても土地が転がり込んでくるという構図が成立したのだ。藤原道長が「欠けることのない望月《もちづき》（満月）」と豪語したころの状況である。

また、摂関家だけではなく、院にも、同様な恩恵がもたらされていた。ここでも、武士と中央の政界は、太くつながったのである。

ところで、在地領主が力をつけたのは、国の出先機関である国衙とその国々の荘園がしょっちゅう対立し、反目し合い、武力衝突が絶えなかったからだ。武力を持たない者は駆逐され、だから、国衙も荘園領主も、武士に頼らざるをえなかった。

ところが、武士たちにしても、国衙に頼まれたからといって、自分たちに利がなければ、手を貸すことはなかった。すると国衙は困り果て、朝廷に助けを求めるようになった。こうして、地方の争いを中央政府が派遣する軍事力が解決する時代が到来した。地方で実力をつけた源氏と平氏は、ようやく中央の軍事力として活躍の場が与えられ、武士の時代が、こうして到来したのだった。

結局、地に足をつけ、汗水流し、土地を耕し、自力で問題を解決してきた武士が、本当の実力者に成長したからこそ、貴族社会を圧倒できたのである。

院と藤原摂関家が箱庭のような狭い場所で権力闘争をくり広げている間に、彼ら貴族は武士の実力を見落としていたのである。

「どうせ、土地を差し出し、靡いてくるに決まっている」

と高をくっていたのだろう。しかし、武士たちは、「われわれが汗と血を流して働いているのに、貴族たちはいったい何をやっているのか」と気付いたとき、新たな政権を造ろうと、考えたのだろう。

ならば、なぜ武士は実権を握ったのちも、「天皇」を潰さなかったのだろう。

それは、源氏や平氏が天皇家の末裔であったこと、彼らの権威の源泉が、天皇だったのだから、天皇家を潰す必然性がなかったのである。

東国で成長した平氏や源氏は、権力を握るために東北蝦夷征討を企てた藤原氏を東国の民が嫌っていること、その一方で天皇家の権威に跪《ひざまず》くことを、目の当たりにしてきたのだ。

中世の武士が系譜を捏造《ねつぞう》し、競って「源平の末裔」を名乗っていくのは、天皇家の権威を必要としたからだろう。そして、「藤の蔓《つる》」のようにしぶとく生き残る藤原氏に対抗するには、天皇という権威を維持する必要があったのだろう。

武士は「腕力」を振り回して実権を握るが、権威、正統性、正当性を、天皇の権威に頼ったのである。

たとえば丹後《たんご》の酒呑童子《しゆてんどうじ》は源 頼光《みなもとのよりみつ》に退治されるが、第三章で述べたように「童子」は鬼で、この場合、鬼を退治する側も、鬼でなければならない。酒呑童子をめぐる説話は、鬼対鬼の戦争であった。

源頼光は天皇（神）の末裔だから、神と表裏一体の、権威ある退治する側の鬼ということになる。しかし、もし「鬼の源氏」が「神の天皇」を滅ぼせば、源氏は蔑《さげす》まれ、退治される側の鬼に成り下がるのである。

ここに、武士が天皇を滅ぼさなかった最大の理由が隠されていよう。すると、天皇が守られた理由は、「多神教的発想」が作用したから、ということになりそうだ。

日本は島国で、奇跡的に純粋な多神教世界が守られてきた。宣教師が次から次と訪れ、ミッション系大学が林立するのに、一神教のキリスト教信者が、一パーセント足らずなのはそのためだ。

また、多神教世界では、独裁者は排除される。絶対的な権力を持った者は、嫌われるのだ。だから、織田信長《おだのぶなが》が消されたのは、歴史の必然である。

いくたびか天皇や院に強い権力が与えられたことはあったが、だからといって、彼らが骨の髄から独裁者だったかというと、首をかしげざるを得ない。本当の独裁者なら、高い城壁を築き、身を守っただろうからである。ところが、歴代天皇の宮に、城郭のような壁は造られたためしがない。ここに、日本の天皇と他国の王の決定的な差がある。強大な権力を握った上皇（院）たちでさえ、「宗教的な権威に守られた権力者」だと、自覚していたにちがいないのである。

ただし、この幻想には裏付けがあったのだ。上皇たちは、武士たちが神から生まれた鬼であり、鬼は鬼を退治するが、神を滅ぼすことはないと、確信していたのだろう。「天皇」の本質は、やはり「多神教世界の神」に近い存在なのであり、この宗教性を抜きに、天皇を語ることはできないのである。

ただし、安全弁は必要であった。それが、院政の巧みなところだ。「天皇」に権力を渡さず、院が汚れ役になったのも、天皇の宗教的権威を失えば、天皇家そのものが滅びるという恐怖心からであろう。

秦氏という視点で天皇を見つめ直す

このような天皇の実態がつかめたところで、最後にようやく「裏社会とつながったから天皇は潰されなかった」という網野《あみの》善彦《よしひこ》の仮説を、少し遠回りになるが、「秦氏」というヒントを借りて、考えてみたい。秦氏こそ、零落し、差別されるようになった人々であるとともに、天皇家と深くつながっていたからである。

筆者は秦河勝《はたのかわかつ》が蘇我入鹿を殺し、改革事業の邪魔立てをしたと推理している。これで秦氏は重い十字架を背負うことになるが、それでもアメーバのような横のつながりを持つ秦氏は、生き残りを賭《か》けて、その後も活躍していく。中央政界で高位高官につけるわけではなかったからこそ、権力者に寄り添おうとする努力を惜しまなかったようだ。

聖武天皇は関東行幸に際し、恭仁京《くにきょう》（旧山城国。京都府木津川市加茂町《きづがわしかも》）を造ったが、このとき山城の秦氏が暗躍したようだ。正八位下・秦下嶋麻呂《はたのしものしままろ》に、従四位下を授け、大秦公《うずまさのきみ》の姓を下賜したと『続日本紀《しょくにほんぎ》』に記録される。

そして、長岡京（京都府向日市《むこう》、長岡京市、京都市にまたがる）遷都、平安京遷都で、大きなチャンスがめぐってくる。なぜなら、長岡京や平安京の土地は、秦氏の地盤だったからだ。しかも、桓武天皇に重用され長岡京造都の責任者に抜擢《ばってき》された藤原《ふじわらの》種継《たねつぐ》の母は、秦氏であった。

つまり、長岡京遷都が完遂されれば、藤原種継は出世をし、秦氏は潤《うるお》うはずであった。事実、「山背国葛野《かどの》郡の秦足長《はたのたりなが》」は、この時外正八位下から従五位上に、大出世している。従七位上・太秦宅守《うずまさのやかもり》も従五位下に引きあげられた。秦氏の絶頂期と言っても過言ではなかったのである。

ところが、悪夢が待ち構えていた。延暦四年（七八五）九月二十三日の夜、桓武天皇の留守中に、造都の責任者である藤原種継が、何者かに射殺《いころ》されるという事件が勃

秦氏が造営に協力した恭仁京

発したのである。

犯人はすぐに捕まった。大伴継人《おおとものつぐひと》と大伴竹良《ちくら》で、大伴家持《やかもち》と早良《さわら》親王《しんのう》が背後から操っていたという。早良親王は、桓武天皇の弟で皇太子である。

早良親王は廃太子となり、淡路《あわじ》に流される。ただし、その途中、早良親王は自ら食を断ち、亡くなってしまったのだ。そしてこのあと、早良親王の祟りに、人々は恐れおののくこととなる。

さて、この事件、本当に大伴家持と早良親王の仕業だったのだろうか。筆者は、「藤原種継を犠牲にしてでも、早良親王の即位を阻止したい」と願う「他の藤原氏の陰謀」が、この事件の真相ではないかと思っている。

早良親王と大伴家持が強く結ばれていたことは間違いない。気になるのは、早良親王が藤原の女人を娶《めと》っていなかったことなのだ。もし早良親王が即位し、しかも藤原種継が実権を握るようなことになれば、藤原氏は外戚の地位を獲得できないばかりか、藤原種継の母方の実家・秦氏が台頭することは、火を見るよりも明らかだった。藤原氏にとって、面白い話は何ひとつ無い。

問題は、早良親王が本当に藤原種継殺しの首謀者だったとしたら、なぜ抗議の自殺をし、しかも祟りに誰もが震え上がったのか、ということである。それは、陰謀を仕組んだ人々が、「身に覚え」があったからだろう。早良親王をはめたからこそ、祟りが恐ろしかったのである。

利用されるだけ利用された秦氏

秦氏は長岡京遷都に、夢を抱いていただろう。蘇我入鹿暗殺以来、汚名挽回を願っていただろうし、地元が都になるチャンスがめぐってきたのだ。ところが、秦氏の野望は、藤原氏によって、簡単に壊されてしまったのである。

結局秦氏は、利用されるだけ利用されて、捨てられたようなものだ。蘇我入鹿暗殺も、中大兄皇子と中臣鎌足にそそのかされて過ちを犯してしまったのだろう。これも、利用されて捨てられたのである。

私見通り、藤原氏が百済系とすれば、ここに、新羅《しらぎ》系秦氏の悲劇が隠されていたのである。そして、藤原氏が強大な権力を獲得していく過程で、新羅系の秦氏は、没落し、蔑まれていくのである。

平安時代以降、秦氏の恨み、憎悪《ぞうお》の感情は、藤原氏に向けられたであろう。この点、秦氏と天皇は、「俗権力の頂点に立つ藤原氏に脅かされる」という共通の思いを抱き続けたことに気付かされる。藤原氏や摂関家の箍がはずれた瞬間、天皇や院はかならずといっていいほど暴走し、独裁権力を握ろうとした。これは、「天皇家の潜在意識の中に、藤原に対する積年の恨みがすり込まれていた」からであろう。

武士が台頭したあとも、藤原氏は武家《ぶけ》の棟梁《とうりょう》に女人を送り込み、実力者の地位を守ろうと暗躍した。たとえば、室町幕府八代将軍・足利義政《あしかがよしまさ》の正室・日野富子《ひのとみこ》の実家・日野氏が、藤原北家であることは、あまり知られていない。まさに、藤原氏は宿主にからみつく、藤そのものであった。だからこそ、藤原氏の生命力に、天皇も、最下層の秦氏も、恐怖心を抱いたのであろう。

ここに、天皇家と秦氏が結びついていくひとつの接点が見出せるのである。

その一方で、秦氏は天皇をも、深く恨んでいたように思う。ヤマト建国来、渡来人は大豪族や王家の支配下に組み入れられ、彼らの富を生んでいった。

五世紀の雄略天皇が葛城氏と対決したのは、朝鮮半島と強く結びついた葛城氏の人脈と渡来人集団を、手に入れるためだろう。渡来人の知識人や技術者を数多く手に入れた者が、富と権力を手に入れることができたのである。

七世紀以前のヤマトの権力闘争は、渡来人争奪戦でもあったのだ。第一章の、欽明《きんめい》天皇が幼いころ、秦氏を味方に着ければ、即位できると夢に観《み》たのは、まさに、このような事情が隠されていたからだ。

日本史最大のタブーは「ゆすられ続ける天皇」？

秦氏は、天皇家を豊かにしてきたのだ。それにもかかわらず、結局利用されるだけで、最後は最下層の地位に零落してしまったのである。彼らは、天皇家をも、深く恨んだであろう。

そこで秦氏は、「裏」だからこそできる対抗策を練り上げたのではなかったか。たとえばそれが、「太子信仰」である。

秦氏は最下層の人々を束ねあげ、ネットワークを構築していったが、彼らを救済し、結びつけるために、太子信仰を広めていった。

聖徳太子は、『日本書紀』のでっち上げた虚像で、蘇我氏の業績のすべてを、この人物に仮託することによって、蘇我氏の正体は抹殺されたと筆者は考える。そして、聖徳太子とは、要するに「蘇我氏そのもの」と考える。そして、法隆寺最大の祭りである聖霊会《しょうりょうえ》のクライマックスで、蘇莫者《そまくさ》が踊り狂い、脇《わき》で「太子」なる者が笛役で登場するように、法隆寺が本当に祀《まつ》りあげるのは、「蘇我の亡き者」であり、これが、「聖者・聖徳太子」の正体だったのである。すなわち、聖徳太子は蘇我氏の象徴であるとともに、殺された蘇我入鹿（蘇莫者）のイメージそのものなのだった。

ではなぜ、蘇我入鹿を殺した秦氏が、太子信仰を広めていくことになったのだろう。

秦氏が太子信仰を広め、聖徳太子が聖者だったことを広く知らしめることは、天皇家にとっても藤原氏にとっても、脅威だったからだろう。

「聖徳太子（蘇我入鹿）殺しの実行犯は秦河勝だったが、そそのかした主犯格は中大兄皇子と中臣鎌足だった」

この事実を『日本書紀』は抹殺した。しかし、秦氏は開き直り、あえて太子信仰を広め、人々が聖徳太子を崇《あが》めるように仕向けることによって、天皇家と藤原氏をゆする材料を手に入れたことになるのである。

秦氏に、怖いものはない。広隆寺《こうりゅうじ》の聖徳太子三十三歳像に歴代天皇が即位儀礼に用いた服を贈りつづけてきたのは、秦氏の脅しが、「効きすぎた」からなのかも知れない。

おそらく、日本で最高の家格を誇り、戦前は華族の頂点に君臨していた藤原氏も、秦氏のしたたかな手口には、舌を巻いていたのではあるまいか。

天皇家と藤原氏と日本の歴史をおおっていた最大のタブーこそ「秦氏の呪いとゆすり」だったのかもしれない。

『古事記』を顕宗《けんぞう》天皇の段で終わらせたことといい、広隆寺の聖徳太子三十三歳像といい、秦氏の「裏側から日本を操る」という隠された目的が、埋め込まれているように思えてならないのである。

そしてたしかに、表と裏は、持ちつ持たれつの関係にあって、天皇という不思議な王家は、継承されてきたのだろう。天皇家が消えてしまえば、ゆする相手がいなくなる。

『古事記』と天皇の謎は、こうして秦氏の「本心」を知ることで、解きあかすことができたのである。

おわりに

平成二十四年（二〇一二）十月、東京国立博物館一四〇周年　古事記一三〇〇年・出雲《いずも》大社大遷宮　特別展「出雲―聖地の至宝―」が開幕した。その内覧会に招かれ、開会式に出席した。

驚いたのは、すぐ目の前に、出雲国造家《こくそうけ》の千家《せんげ》氏と北島氏のそれぞれの当主が、並んで立っていたことだ。出雲神話に登場する天穂日命《あまのほひのみこと》の末裔《まつえい》である。白昼に太古の亡霊に出会ったような驚きだった。

千家家や北島家といえば、出雲地方（島根県東部）ではいまだに高い格式を誇り、崇敬を集めるが、律令《りつりょう》の整備された段階で廃止された「国造」が、今日まで続いていること自体、奇怪な謎《なぞ》ではないか。

出雲国造は祖神・天穂日命の霊を継承するから、肉体は滅びようとも死なないと信じられている。心臓が止まっても、死は秘匿《ひとく》され、座らされ、眼前にいつもどおり食膳が供えられる。嫡子《ちゃくし》はこの間、慌《あわ》ただしく神事を執り行い、新国造になるための準備をする。

国造は代替わりごとに、神聖な「神火」を継承した。これを「火嗣《ひつぎ》」と呼び、「火」は、天穂日命の霊を象徴している。かたや天皇は、「日嗣」によって日神（天照大神《あまてらすおおみかみ》）の霊を継承する。「火と日」の違いがあるが、どちらも「霊（ヒ）」で、根っこは同じだという（千家尊統《たかむね》『出雲大社』学生社）。

出雲国造家と天皇家が、本当に途切れることなく続いてきたのか、定かではないし、王朝交替があった可能性は高い。ただし、ヤマト建国来六世紀にいたるまで、前方後円墳《ぜんぽうこうえんふん》という埋葬文化は継承されたから、信仰形態に変化はなかったことがわかる。したがって、血のつながりは途中で絶えていたとしても、ヤマトの王は、同じ「目にみえない霊」を引き継ぐことによって、正統性を保ち続けたのだろう。つまり天皇家は万世一系でなくとも、「神の魂」「霊」を綿々と引き継いできたから、神聖なのである。天皇の天皇たる必要条件は、「神の御魂《みたま》を継承しているかどうか」であろう。出雲国造が死なないように、天皇も死なないのであり、肉体は神にとって、仮の宿に過ぎない。もちろんこれは、信仰上の話なのだが……。

科学が発達し、多くの日本人が「信仰とは無縁」と思っている今日、出雲国造も天皇も、いつ消えてもおかしくはない。しかし、そうならないのは、日本人が無意識に「神に対する恐れ」を抱き続けているからだろう。神とは、大自然そのものなのである。

どのような権力者でも、神＝大自然に打ち勝つことはできない。これは、災害列島に住む日本人なら、だれでも知っている。天皇家が潰《つぶ》されなかった本当の理由は、このような日本人の自覚のない信仰心が根底に隠されていたからではないかと思えてくる。天皇は神にもっとも近い存在で、しかもその神は、一神教のいうような、正義の味方ではない。森羅万象そのものと考えれば、分かりやすい。

天皇や日本社会を裏側から支配していると考えていたであろう最下層の差別される人々もまた、この大きな枠組み（大自然）の一部でしかない。

なお、今回の執筆にあたり、新潮社取締役相談役松田宏氏、文庫編集部の内田諭氏、校閲部の森本章子氏、髙松完子氏、歴史作家の梅澤恵美子氏に、御尽力いただきました。心からお礼申し上げます。

合掌

主要参考文献一覧

『古事記・祝詞』 日本古典文学大系 (岩波書店)
『日本書紀』 日本古典文学大系 (岩波書店)
『風土記』 日本古典文学大系 (岩波書店)
『萬葉集』 日本古典文学大系 (岩波書店)
『続日本紀』 新日本古典文学大系 (岩波書店)
『先代舊事本紀』 大野七三編 (新人物往来社)
『神道大系 神社編』(神道大系編纂会)
『古語拾遺』 斎部広成著 西宮一民編 (岩波文庫)
『藤氏家伝 注釈と研究』 沖森卓也 佐藤信 矢嶋泉 (吉川弘文館)
『日本書紀 一 二 三』 新編日本古典文学全集 (小学館)
『古事記』 新編日本古典文学全集 (小学館)
『古代豪族と朝鮮』 京都文化博物館編 (新人物往来社)
『はじめての日本神話』 坂本勝 (ちくまプリマー新書)
『愛とまぐはひの古事記』 大塚ひかり (ちくま文庫)

『古事記』　神野志隆光　（ＮＨＫブックス）
『古事記の起源』　工藤隆　（中公新書）
『古事記成立考』　大和岩雄　（大和書房）
『現代語　古事記』　竹田恒泰　（学研）
『古事記を読みなおす』　三浦佑之　（ちくま新書）
『秦氏の研究』　大和岩雄　（大和書房）
『直木孝次郎古代を語る６　古代国家の形成』　直木孝次郎　（吉川弘文館）
『無縁・公界・楽』　網野善彦　（平凡社）
『異形の王権』　網野善彦　（平凡社）
『鬼と天皇』　大和岩雄　（白水社）
『室町の王権』　今谷明　（中公新書）
『県犬養橘三千代』　義江明子　（吉川弘文館）
『歴史を彩る女たち』　杉本苑子　（新塔社）
『不比等を操った女』　梅澤恵美子　（河出書房新社）
『「大化改新」史論』　門脇禎二　（思文閣出版）
『日本の歴史04　平城京と木簡の世紀』　渡辺晃宏　（講談社）
『蝦夷の考古学』　松本建速　（同成社）

『大和の豪族と渡来人』加藤謙吉（吉川弘文館）
『日本の神々　5　神社と聖地　山城　近江』谷川健一編（白水社）
『隠された十字架』梅原猛（新潮文庫）
『倭国と渡来人』田中史生（吉川弘文館）
『宿神論　日本芸能民信仰の研究』服部幸雄（岩波書店）
『秦氏とその民』加藤謙吉（白水社）
『帰化人と古代国家』平野邦雄（吉川弘文館）
『続・神々の体系』上山春平（中公新書）
『古代出雲王権は存在したか』松本清張編（山陰中央新報社）
『出雲大社』千家尊統（学生社）

この作品は新潮文庫のために書き下ろされた。

川端康成著

伊豆の踊子

伊豆の旅に出た旧制高校生の私は、途中で会った旅芸人一座の清純な踊子に孤独な心を温かく解きほぐされる――表題作等4編。

川端康成著

愛する人達

円熟期の著者が、人生に対する限りない愛情をもって筆をとった名作集。秘かに愛を育てる娘ごころを描く「母の初恋」など9編を収録。

川端康成著

掌の小説

優れた抒情性と鋭く研ぎすまされた感覚で、独自な作風を形成した著者が、四十余年にわたって書き続けた「掌の小説」122編を収録。

川端康成著

舞姫

敗戦後、経済状態の逼迫に従って、徐々に崩壊していく〝家〟を背景に、愛情ではなく嫌悪で結ばれている舞踊家一家の悲劇をえぐる。

川端康成著

山の音

野間文芸賞受賞

得体の知れない山の音を、死の予告のように怖れる老人を通して、日本の家がもつ重苦しさや悲しさ、家に住む人間の心の襞を捉える。

川端康成著

女であること

恋愛に心奥の業火を燃やす二人の若い女を中心に、女であることのさまざまな行動や心理葛藤を描いて女の妖しさを見事に照らし出す。

夏目漱石著

吾輩は猫である

明治の俗物紳士たちの語る珍談・奇譚、小事件の数かずを、迷いこんで飼われている猫の眼から風刺的に描いた漱石最初の長編小説。

夏目漱石著

倫敦塔《ロンドンとう》・幻影《まぼろし》の盾《たて》

謎に満ちた塔の歴史に取材し、妖しい幻想を繰りひろげる「倫敦塔」、英国留学中の紀行文「カーライル博物館」など、初期の7編を収録。

夏目漱石著

坊っちゃん

四国の中学に数学教師として赴任した直情径行の青年が巻きおこす珍騒動。ユーモアと人情の機微にあふれ、広範な愛読者をもつ傑作。

夏目漱石著

三四郎

熊本から東京の大学に入学した三四郎は、心を寄せる都会育ちの女性美禰子の態度に翻弄されてしまう。青春の不安や戸惑いを描く。

夏目漱石著

それから

定職も持たず思索の毎日を送る代助と友人の妻との不倫の愛。激変する運命の中で自己を凝視し、愛の真実を貫く知識人の苦悩を描く。

夏目漱石著

門

親友を裏切り、彼の妻であった御米と結ばれた宗助は、その罪意識に苦しみ宗教の門を叩くが……。「三四郎」「それから」に続く三部作。

松本清張著

小説日本芸譚

千利休、運慶、光悦――。日本美術史に燦然と輝く芸術家十人が煩悩に翻弄される姿――人間の業の深さを描く異色の歴史短編集。

松本清張著

或る「小倉日記」伝

芥川賞受賞　傑作短編集㈠

体が不自由で孤独な青年が小倉在住時代の鷗外を追究する姿を描いて、芥川賞に輝いた表題作など、名もない庶民を主人公にした12編。

松本清張著

黒地の絵

傑作短編集㈡

朝鮮戦争のさなか、米軍黒人兵の集団脱走事件が起きた基地小倉を舞台に、妻を犯された男のすさまじい復讐を描く表題作など9編。

松本清張著

西郷札

傑作短編集㈢

西南戦争の際に、薩軍が発行した軍票をもとに一攫千金を夢みる男の破滅を描く処女作の「西郷札」など、異色時代小説12編を収める。

松本清張著

佐渡流人行

傑作短編集㈣

逃れるすべのない絶海の孤島佐渡を描く「佐渡流人行」、下級役人の哀しい運命を辿る「甲府在番」など、歴史に材を取った力作11編。

松本清張著

張込み

傑作短編集㈤

平凡な主婦の秘められた過去を、殺人犯を張込み中の刑事の眼でとらえて、推理小説界に新風を吹きこんだ表題作など8編を収める。

新潮文庫最新刊

新潮文庫最新刊

野口卓著
からくり写楽
――蔦屋重三郎、最後の賭け――
〈謎の絵師・写楽〉は、なぜ突然現れ不意に消えたのか。そのすべてを知る蔦屋重三郎の奇想天外な大仕掛けを描く歴史ミステリー。

真梨幸子著
極限団地
――一九六一　東京ハウス――
築六十年の団地で昭和の生活を体験する二組の家族。痛快なリアリティショー収録のはずが、失踪者が出て……。震撼の長編ミステリ。

幸田文著
雀の手帖
多忙な執筆の日々を送っていた幸田文が、何気ない暮らしに丁寧に心を寄せて綴った名随筆。世代を超えて愛読されるロングセラー。

安部公房著
死に急ぐ鯨たち・もぐら日記
果たして安部公房は何を考えていたのか。エッセイ、インタビュー、日記などを通して明らかとなる世界的作家、思想の根幹。

燃え殻著
これはただの夏
僕の日常は、嘘とままならないことで埋めつくされている。『ボクたちはみんな大人になれなかった』の燃え殻、待望の小説第2弾。

ガルシア＝マルケス
鼓直訳
百年の孤独
蜃気楼の村マコンドを開墾して生きる孤独な一族、その百年の物語。四十六言語に翻訳され、二十世紀文学を塗り替えた著者の最高傑作。

古事記《こじき》の禁忌《タブー》 天皇《てんのう》の正体《しょうたい》

新潮文庫　せ－13－5

平成二十五年一月一日発行
令和六年十一月五日七刷

著者　関《せき》　裕《ゆう》二《じ》

発行者　佐藤隆信

発行所　株式会社新潮社
郵便番号　一六二―八七一一
東京都新宿区矢来町七一
電話　編集部(〇三)三二六六―五四四〇
読者係(〇三)三二六六―五一一一
https://www.shinchosha.co.jp

価格はカバーに表示してあります。

印刷・株式会社光邦　製本・株式会社大進堂

ISBN978-4-10-136475-9 C0121